生成AI推し技大全

ChatGPT＋主要AI活用
アイデア100選

Recommended Uses of Generative AI

田口和裕・森嶋良子・いしたにまさき 著

インプレス

はじめに

近年、人工知能（AI）の進化が加速しています。

特に2022年1月に「ChatGPT」が公開されて以降の生成AIの進化スピードは著しく、私たちの日常生活やビジネスのあり方に革命をもたらしています。

まるで人間が話しているような言葉を生成する「ChatGPT」がその代表ですが、2023年には美しい画像を描くものから音楽や動画を生み出すものまで、生成AIは多岐にわたる形で私たちの創造性を刺激し、新たな可能性を提示しています。

本書『生成AI推し技大全』では、この革新的な技術をより深く理解し、日常生活やビジネスでの実用的な活用方法を探求します。

「イントロダクション」では、生成AIの基本と、本書で扱う内容を紹介します。

「第1章 ChatGPTで生成AIの基本を体験しよう」では、ChatGPTの基礎的な使い方と有料版について紹介します。

「第2章 すぐに使える！　実用性の高いChatGPT活用例」では、より幅広いシチュエーションでChatGPTを効率的に使用する方法を探ります。

「第3章　QOLを上げる！　生活に役立つChatGPT活用例」では、日々の生活を豊かにするChatGPTの使い方を紹介します。

「第4章　ビジネスに役立つ！　生成AIの活用例」では、ビジネスシーンでの生成AIの有効な活用法を探求します。

「第5章　QOLを上げる！　生活に役立つ生成AI活用例」では、日常生活を豊かにする生成AIのアイデアを紹介します。

「第6章　英語学習に役立つ生成AIの活用例」では、語学習をサポートする生成AIの役立つ活用法を探ります。

「第7章　さまざまな使い道がある画像生成AI」では、多彩な分野での画像生成AIの魅力と可能性を探ります。

「第8章　クリエイティブに役立つ！　音楽生成AI」では、音楽生成AIのクリエイティブな用途を紹介します。

「第9章　驚きの生成結果が。動画AIの世界」では、動画生成AIの驚くべき可能性とその応用を探ります。

最初から通して読めば、生成AIの現状についてひと通りの知識を得ることができるように構成されていますが、もちろん興味のある章だけをつまみ読みしてもかまいません。この本を通じて、生成AIの魅力を深く理解し、あなた自身の生活や仕事に革新をもたらすヒントを見つけていただければ幸いです。

著者を代表して　田口和裕

本書の前提

- 本書に記載されている情報は、2024年1月時点のものです。
- 本書に掲載されている実行結果を記した画面イメージなどは、各生成AIがそのときに生成した結果の一例です。
- 本書の内容に関して適用した結果生じたこと、また、適用できなかった結果について、著者および出版社ともに一切の責任を負えませんので、あらかじめご了承ください。
- 本書に記載されているウェブサイトなどは、予告なく変更されていることがあります。
- 本書に記載されている会社名、製品名、サービス名などは、一般に各社の商標または登録商標です。なお、本書では™、®、©マークを省略しています。

CONTENTS

第2章 すぐに使える！　実用性の高いChatGPT活用例

第6章 英語学習に役立つ生成AIの活用例

第7章 さまざまな使い道がある画像生成AI

第8章 クリエイティブに役立つ！ 音楽生成AI

第9章 驚きの生成結果が。動画AIの世界

イントロダクション

SECTION
01

進化の要因をまずはざっくり掴もう

なぜ今「生成AI」が注目されているのか

使用AI　—

推し
ポイント

本書は生成AIについてやさしく解説することを目的としていますが、まずその前に、AI（Artificial Intelligence：人工知能）とはどのようなものなのか定義しておきましょう。

AIと生成AIの違い

AIとは人間の思考や行動を模倣し、学習や問題解決などの能力を持つコンピュータシステムやソフトウェアのことです。AIを利用することで特定のタスクを自動化したり、複雑な問題を解決したりすることが可能になります。

そして、**生成AIとは「話す」「調べる」「書く」「描く」といった人間の創造的能力を模倣し、新しいコンテンツを自動生成するAIの一種**です。

この技術は、文章・写真・動画などデータセットと呼ばれる大量のサンプルデータを使用して学習（機械学習）を行い、その知識を用いて完全に新しいテキスト、画像、音楽などを作り出すことができます。

では、**なぜ近年、生成AIが注目されているのでしょうか？**

そこにはいくつかの、重要な技術的進化の歴史が関係してきます。少々専門用語が多くなりますが、これらをすべて理解する必要はありませんので、難しいようでしたら読み飛ばして次のセクションに進んでも問題ありません。

[生成AI進化の要因①]機械学習と深層学習の進化

機械学習は、大量の情報を分析して、そこからパターンを見つけ出し、これを新しい状況や問題に応用する技術です。また、**機械学習の中でも深層学習と呼ばれる手法は、より複雑なデータやパターンを学習し、高度なタスクを効果的にこなすことが可能**になりました。

つまり、近年の機械学習と深層学習の進化は、同時にAIの学習量を膨大なものへと進化させてきたという経緯があるわけです。

これまでのAI	生成AI
人間の行動や思考を模倣	行動や思考に加え 人間の創造的能力を模倣

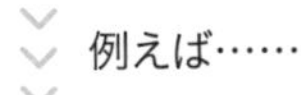

例えば……

自動化　データ分析　チャットボット

画像認識　音声認識　スマート工場

調査　文章　画像

イラスト　音楽　動画

さまざまな問題解決に利用されている

さまざまなコンテンツの作成に利用されている

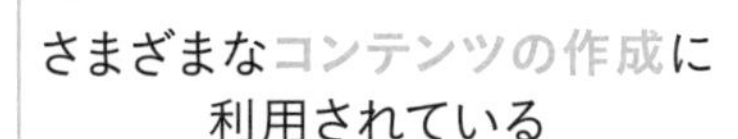

コンテンツを生み出せる点がこれまでのAIとは異なる点。創作物に対する人間とAIとのコラボレーションが可能に！

[生成AI進化の要因②]トランスフォーマーモデルの登場

トランスフォーマーモデルとは、2017年にGoogleの研究チームによって開発された、自然言語処理（NLP）における革新的なアプローチです。このモデルは、**特にテキストデータの理解と生成において、従来の手法を大きく超える性能を示し、生成AIの分野で画期的な影響を与えました。**

[生成AI進化の要因③]高性能GPUの登場

かつては主にゲームやグラフィックスの分野で使用されていた**GPU(グラフィックス処理ユニット)が、機械学習に非常に適していることが判明**しました。GPUは大量のデータを並列処理する能力が高いため、複雑な機械学習モデルの訓練に理想的な環境を提供します。

NVIDIAの最新高性能GPU「NVIDIA H100 Tensor コア GPU」
出典:https://www.nvidia.com/ja-jp/data-center/h100/

[生成AI進化の要因④]利用できるデータの増加と応用分野の拡大

インターネットの普及により、膨大なデータがインターネット上から利用可能になったことで、**AIは多様なデータセットから学習できるようにもなりました。**例えば、世界中で日々無数に公開され続けるテキストデータ、画像データ、音声データ、動画データなどです。

膨大なデータを学習できる環境が整ったことで、生成AIはアート、音楽、文学など多岐にわたる分野での応用が可能になりました。結果として、AIが作ったとは思えないような「作品」を目にする機会も増え、世間の幅広い関心を集めるようになったのです。

生成 AI によって作成された宇宙服を着たかわいい猫の宇宙遊泳。現実にはあり得ないようなイメージ画像もリアルに生成できる
出典：Adobe Stock

生成AIが身近に浸透

これらの技術的進歩により、**生成AIは理論的な概念から、誰もが活用できる現実のアプリケーションへと進化**しました。もちろん、本書の読者の皆さんも生成AIを活用するユーザーの1人です。その数は日々増え続けているため、気付かないうちにスマートフォンアプリなどで生成AIを何気なく使っている、といったこともあり得ます。生成AIは、テクノロジーの世界に多大な影響を及ぼすだけでなく、私たちの生活にも浸透しつつあるといえます。

今、どんな生成AIが利用できるの？

広がり続ける生成AIの種類

使用AI —

推し ポイント 前セクションでは今生成AIが注目されている理由について説明しました。では、そもそもどんな生成AIが存在するのでしょうか？　生成する「もの」に着目して分類してみました。

テキスト生成

事前に大量のテキストデータを分析して言語のパターンを学習し、その知識を用いて新しいテキストを生成します。物語や詩、ニュース記事、レポート、メールなどさまざまな形式のテキストを作成できます。

応用例としては、ニュース記事の自動作成、クリエイティブライティング、コンテンツマーケティング、チャットボットの会話などがあります。特に、データドリブンなニュース生成やカスタマーサポートでの応用が増えています。

主なサービスにChatGPT、Bard、Copilot、Claudeなどがあります。

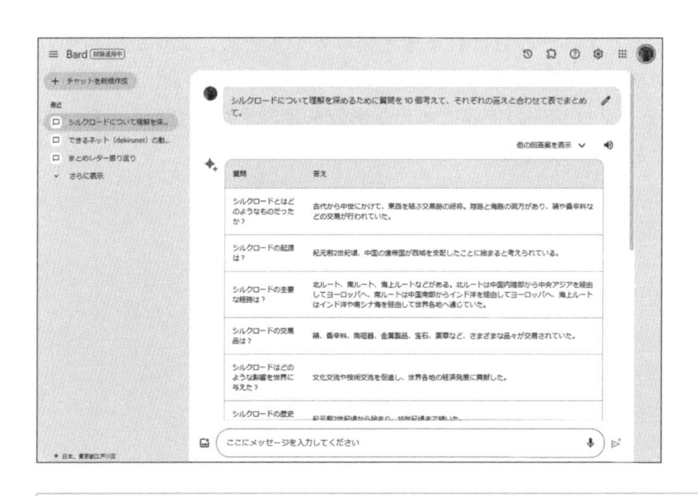

Googleが提供するテキスト生成AIのBardに、シルクロードについて質問した結果。表組みにしてまとめてくれています

データ生成

データ生成AIは、実際のデータを模倣したり、新しいデータセットを合成したりするために使用される技術です。この種のAIは、統計分析、データサイエンス、機械学習のトレーニングなどに応用されています。例えば、プライバシーを保護しつつ匿名化された医療データを生成したり、機械学習モデルのトレーニングのためにバリエーション豊かなデータセットを作成したりできます。データ生成AIは、リアルなデータの特性を持ちながらも、新しい洞察や予測を可能にする新たなデータを生み出します。

主なサービスにChatGPT、Copilotなどがあります。

コード生成

プログラミングコードを自動生成する技術です。開発者が指定した要件に基づいて、効率的かつ正確なコードを作成します。

応用例としては、ソフトウェア開発の効率化、バグの修正、新しいアプリケーションのプロトタイピングなどがあります。

コード生成AIは、プログラミングの知識を持たない人々にもプログラミングへのアクセスを提供し、開発プロセスを加速する革新的なツールとなっています。

主なサービスにGitHub Copilotがあります。また、ChatGPTもコード生成能力が高く、本書では一部コーディングの例を紹介しています。

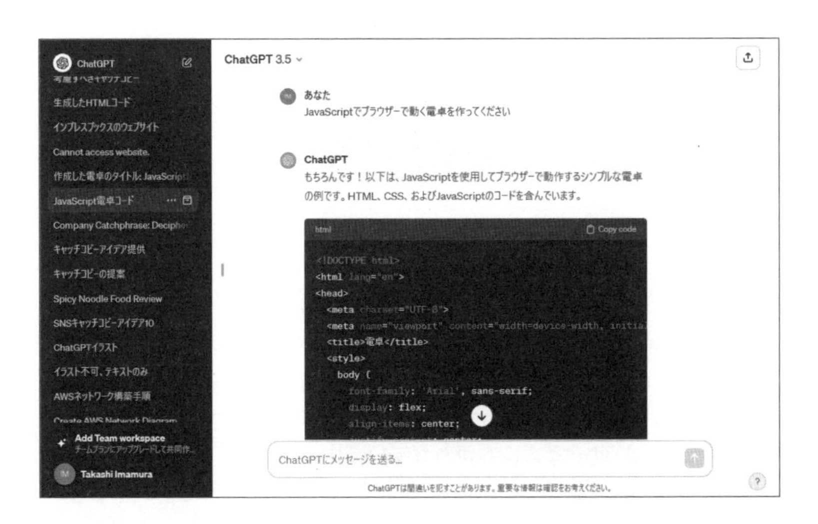

OpenAIが提供するChatGPTに、JavaScriptで動作する電卓をコーディングしてもらっている例。HTML、CSS、JavaScriptのコードが生成されました

画像生成

特定の指示（プロンプト）やお手本となるデータを元に、独自のアート作品やリアルな画像を作り出すことができます。この技術は、デジタルアートの制作、製品デザイン、教育資料の作成など、幅広い分野で応用されています。

応用例としては、グラフィックデザイン、ゲーム開発、仮想現実コンテンツの生成などがあります。最近は映画やテレビ番組の特殊効果にも使用されています。

主なサービスにDALL-E 3（ChatGPT Plusに加入すると利用可能）、Midjourney、Stable Diffusionなどがあります。

テキストからイラストを生成するMidjourneyを使用した例。「古代遺跡の石柱の間をスラロームで駆け抜けるロボット」という指示文を英語で与えた結果です

音声生成

テキストから自然な音声を生成する技術です。この種のAIは、テキストベースの情報を音声データに変換し、人間の話し方を模倣して読み上げます。

応用例としては、オーディオブックのナレーション、音声アシスタント、自動応答システム、教育用のオーディオコンテンツなどがあります。また、アクセシビリティ向上のための読み上げサービスにも使われています。

音声生成AIは、異なる言語、アクセント、声のトーンなど、多様な音声スタイルの生成が可能で、リアルな音声体験を提供します。

主なサービスにVOICEVOXなどがあります。

音楽生成

テキストや既存楽曲を元に、さまざまな音楽ジャンルやスタイルの新しい楽曲やメロディを作り出す技術です。

応用例としては、映画やゲームのサウンドトラック作成、アーティストの楽曲制作補助、教育ツールなどがあります。

主なサービスにStable Audio、Suno AIなどがあります。

テキストから作詞・作曲・編曲までできてしまうSuno AIを用い、楽曲を生成した例。生成された歌詞に合わせて、ボーカルまで入っています

動画生成

ユーザーの指示やお手本となるデータを元に動画コンテンツを生成します。この技術は、静止画像や短いビデオクリップから完全な動画を作成することができ、特定のシナリオやテーマに合わせた動画素材の生成が可能です。

応用例としては、映画や広告の特殊効果、アニメーションの制作、教育やトレーニングビデオの作成などがあります。

また、ゲームなどリアルタイムでの生成や、動画コンテンツの変換・改良（アップスケール）などにも使用されています。

主なサービスにRunway、Pika labなどがあります。

テキストから動画クリップを生成できるPikaを用い、動画を生成した例。「浴衣を着たカップルが花火を見ている日本の夏祭り」というテキストを英語で入力した結果です

3Dモデル生成

ユーザーの指示やデータに基づいて、リアルな3Dオブジェクトや環境を自動的に作成する技術です。建築ビジュアライゼーション、製品設計、ゲーム開発、仮想現実コンテンツ制作などに応用されています。また、医療分野での3Dビジュアライゼーションや教育資料の作成にも使われています。

3Dモデル生成AIは、複雑なモデリングプロセスを簡素化し、時間とリソースを節約しながら、精度の高い3Dモデルを生成することができます。

主なサービスにSpline AIがあります。

SECTION 03

ChatGPTを中心に幅広いジャンルを

本書で取り上げる生成AIについて

使用AI —

推し ポイント

本書で取り上げる生成AIの種類について触れていきますが、基本的には前セクションで触れたすべての種類の生成AIを取り上げます。中でもOpenAIのChatGPTを特に大きく取り上げます。

ChatGPTについて

まずは本書で大きな割合を占めるChatGPTについて簡単に紹介しておきましょう。ChatGPTは、サム・アルトマン氏率いるアメリカのAIベンチャーOpenAIによって開発された、**大量のテキストデータで学習し、人間のような自然な言語を生成する能力を持つ大規模言語モデル（LLM）と呼ばれるAI**です。

ユーザーは一般的な会話と同じ自然言語で質問やリクエストを行い、ChatGPTはそれに対応して回答を提供します。回答は一般的な会話の応答だけではなく、**文章の作成や要約、特定のスタイルやトーンに合わせたコンテンツの生成**などが行えます。

これは教育、カスタマーサポート、エンターテイメントなど多くの分野で応用されています。

現在は、ChatGPT以外にもGoogleのBardやAnthropicのClaudeなどのLLMを活用したチャットAIが出てきていますが、2022年11月に初めてChatGPTが公開されたときは、AIが生成したとは思えないほど自然で、正確な回答が世界中の注目を集め、わずか数カ月後の2023年1月には1億人のアクティブユーザー数を記録しました。

また、リリース後も次々に機能を追加し、現在はテキスト生成やコード生成だけではなく、同じくOpenAIが開発した**画像生成AIモデルの「DALL-E 3」を使用して美麗な画像を生成することも可能**になりました。

ChatGPTが生成AIブームのきっかけとなったのはもちろん、Microsoftとの提携、CEOサム・アルトマン氏の突然の解任騒動など、今に至るまでOpenAIおよびChatGPTは生成AI界隈の話題の中心となっています。よって、**本書でも全体の半分近くをChatGPTが占める**ことになります。

その他の生成AIについて

とはいえ、生成AIはChatGPTだけではありません。Google、Meta、AWS(Amazon)、IBM、Appleといったビッグテックもこぞって生成AIに注力しています。

さらに、Stable Diffusionで有名な画像生成AIスタートアップのStability.aiなど、AIに特化したスタートアップの製品も多数登場しています。

本書では**これらのサービスの中から、「現状でも仕事や趣味に使えるもの」を厳選し多数紹介**しています。前のセクションで「主なサービス」として例に挙げた生成AIのほか、多数の、おそらく皆さんが知らないような生成AIも数多くピックアップしました。

その際、本書では特に**無料で試せるサービスを多めに選びました。**これは読者の皆さんに実際に触って試してもらいたいからです。本書を見て興味を持ったら、実際にアクセスして何かを生成してみましょう。

生成AI使用時の注意点

最後にいくつか注意事項を。生成AIはまだ始まったばかりの未熟な技術です。思い通りの出力結果を得られないことがあります。というかむしろそのほうが多いかもしれません。

また、最近はかなり減りましたが、ハルシネーション(幻覚)と呼ばれる間違った情報や差別的な情報を自信満々で出力してくることもいまだにあるので、特に商用利用にはまだまだ高いハードルがあります。

そんなときには「生成AIは使えない」と嘆くのではなく、**「どうすればもっと使えるようになるのだろう」と使い方を工夫してみましょう。**本書にもそのヒントが多数掲載されています。

この分野の技術は従来では信じられないスピード感で進んでいます。数年後には「なんでこんなことで苦労していたんだろう」と感じているかもしれませんね。

第1章

ChatGPTで生成AIの基本を体験しよう

SECTION 04

ChatGPTを使うための準備

ChatGPTのアカウントを作成し使えるようにしよう

使用AI ChatGPT、ChatGPT Plus

推しポイント ChatGPTは誰でも無料で使うことができますが、そのためにはOpenAIのアカウントが必要です。ここではOpenAIアカウント作成の方法を2種類紹介します。

OpenAIアカウントを作成しよう

OpenAIのアカウントを作成するのに最低限必要なものはメールアドレスと、SMSを受け取ることのできるスマートフォンの2つです。さっそく作ってみましょう。

ただし、すでにGoogle、Microsoft、Appleいずれかのアカウントを持っている場合は、この節の最後に紹介する方法で簡単にアカウントを作成できます。

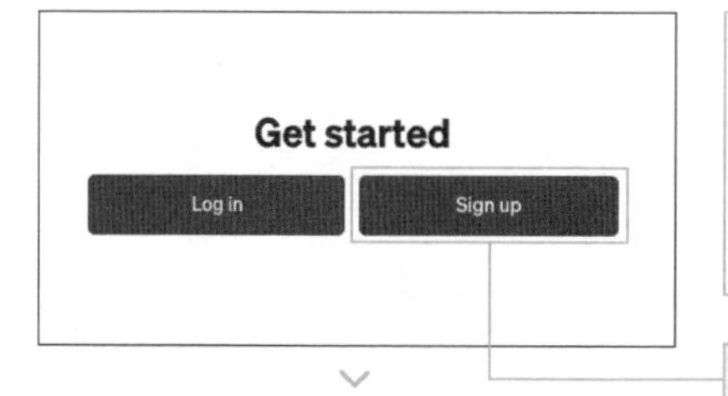

Webブラウザで、ChatGPT（https://chat.openai.com/）にアクセスするとまずはこのような画面が表示されます。すでにアカウント取得済みなら「Log in」をクリックしましょう

①アカウントを取得するには［Sign up］をクリック

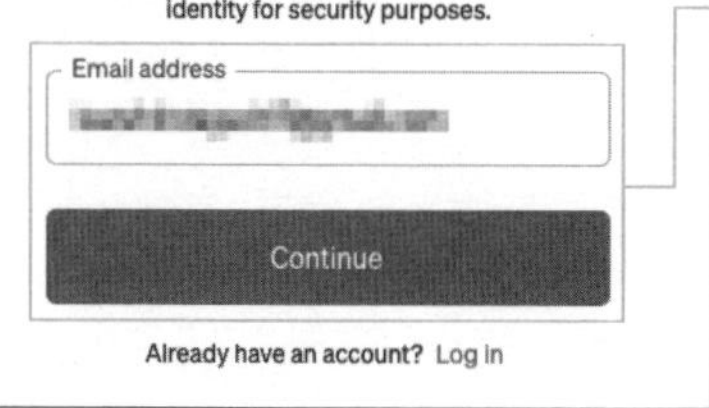

②有効なメールアドレスを入力し［Continue］をクリック

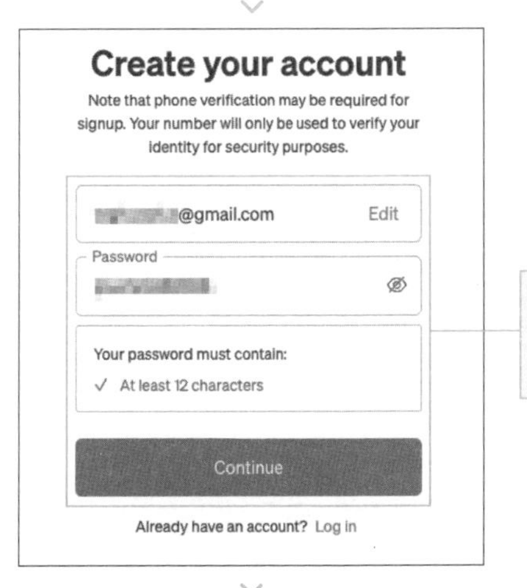

③「Password」欄に自分で作成したパスワード（12文字以上）を入力して［Continue］をクリック

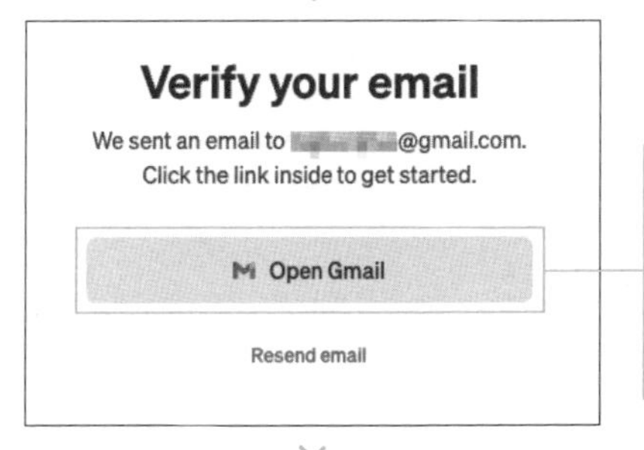

入力したメールアドレス宛に確認メールが届いているのでメールを探しましょう。［Gmail］を使っている場合は［Open Gmail］をクリックすれば開きます

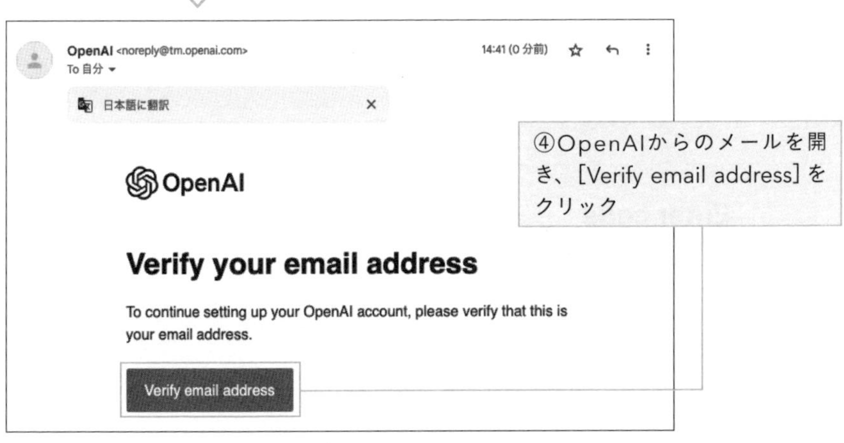

④OpenAIからのメールを開き、[Verify email address]をクリック

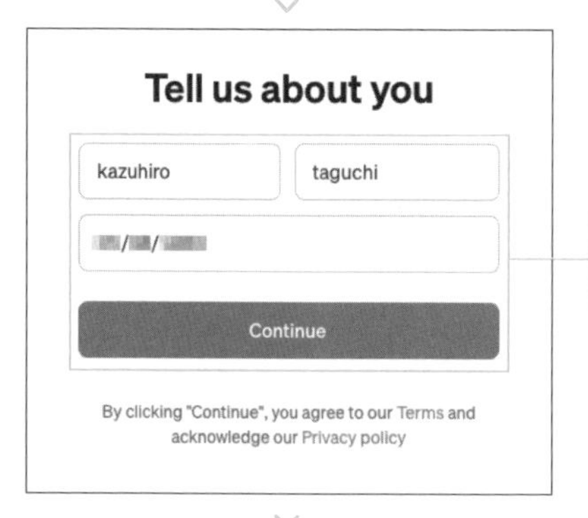

⑤姓、名、生年月日を入力して「Continue」をクリック

最後に電話を使った本人確認を行います

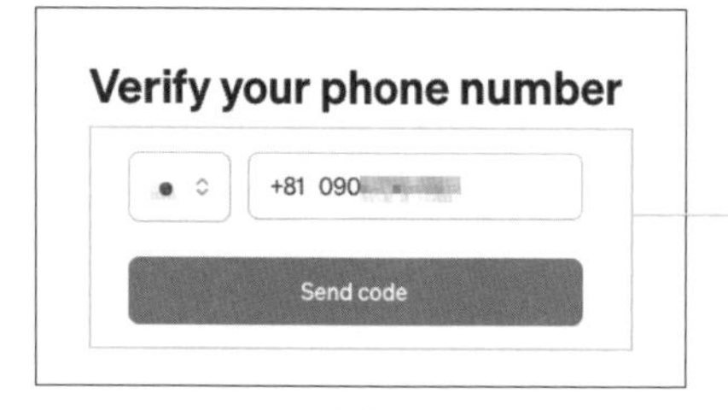

⑥SMSを受け取れるスマートフォンの電話番号を入力し［Send code］をクリック

⑦スマートフォンのSMS（メッセージ）アプリに届いている6桁の「OpenAI認証コード」を確認

⑧パソコンに戻り認証コードを入力

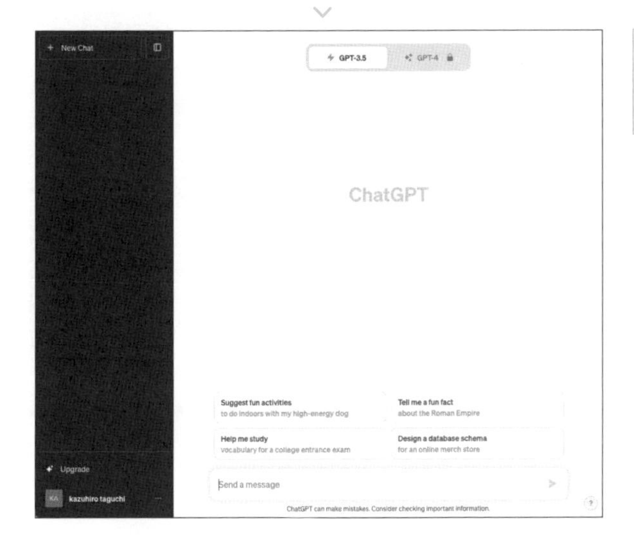

以上で作業は完了です。ChatGPTを使えるようになりました

既存のアカウントからOpenAIアカウントを作成する

すでにGoogle、Microsoft、Appleのアカウントを持っている場合は、もっと簡単にアカウントを作成することが可能です。

SECTION 05

ChatGPTを使ってみよう

質問・会話から答えを引き出すプロンプトの基本

使用AI　ChatGPT、ChatGPT Plus

推しポイント　アカウント作成ができたらさっそくChatGPTを使ってみましょう。と言っても基本的な使い方は単純そのもの、「プロンプト入力欄」に聞きたいことを日本語で書くだけです。

活用例① まずは質問してみよう

画面は左側のサイドバーと右側のメインに分かれています。メイン画面の下部にある**「Message ChatGPT...」と薄く書かれた部分が「プロンプト入力欄」です。**ここにプロンプトと呼ばれる指示（命令）文を入力し、紙飛行機型のアイコンをクリックすると質問できます。

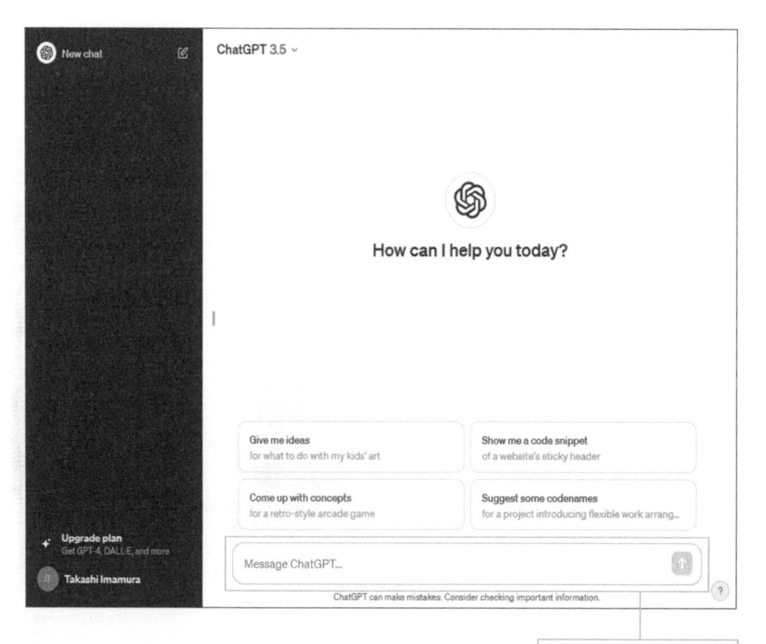

プロンプト入力例

ChatGPTについて教えてください

応答例

「もちろんです！ChatGPTは、OpenAIが開発した自然言語処理のためのモデルの一つです。GPT（Generative Pre-trained Transformer）と呼ばれるアーキテクチャに基づいており、特に対話型の文脈に適したものとなっています。

以下は、ChatGPTについてのいくつかの重要なポイントです：

1. 自然言語生成： ChatGPTは、テキストデータを学習して生成された自然な文章を生成することができます。それにより、対話や文章生成などのタスクに利用できます。
——省略——

活用例② 質問だけじゃない。会話もできる

ChatGPTの答えに納得いかなかった場合は「もっとわかりやすく」「もっと詳しく」と質問を重ねることで、**まるで人間と会話するかのようにやり取り**ができます。

プロンプト入力例（続き）

パソコンのパの字もわからない人に向けてChatGPTを説明して

応答例

パソコンの「パ」の字もわからない人に向けて、ChatGPTを説明しますね。

ChatGPTは、コンピュータープログラムの一種で、自然な言語の理解と生成に優れています。

「ChatGPT」は、言葉を理解し、質問に答えたり、対話をすることができるプログラムです。これは、大量のテキストデータを学習して、言葉の文脈や構造を理解するように訓練されています。
——省略——

HINT

日本語以外も大丈夫？

ChatGPTは元々英語環境で開発されているので本来は英語が一番得意です。しかし、英語以外の言語も含む世界中から収集したテキストでトレーニングされているため、日本語をはじめとする多言語にも対応できるようになっています。とはいえ、話者が少ない言語はあまり得意ではないようです。

SECTION 06

会話を参照したり人に見せるときに

チャット履歴を保存したり共有したりするには

使用AI ChatGPT、ChatGPT Plus

推しポイント ChatGPTとの会話は自動的に保存され、後からその内容を履歴として閲覧することができて便利です。また、わかりやすい名前を付けて後から探しやすいようにすることもできます。

チャットの開始と履歴の参照

ChatGPTにログインするか、またはサイドバーの一番上にある**[New Chat]をクリックすると新しいチャットが始まります。**チャットは無制限に続けることも可能ですが、別の話題を始めたいときはもう一度[New Chat]をクリックすることで改めて新しいチャットを始めることができます。それぞれの**チャットはサイドバーに表示されるので、クリックすることで過去のチャット履歴を読んだり、会話を再開したりすることもできます。**

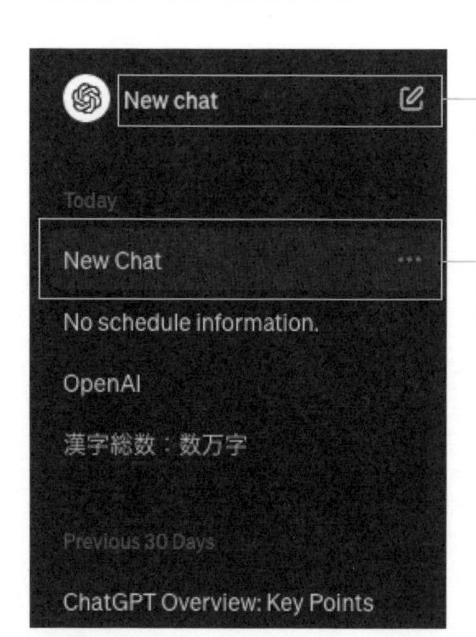

[New chat]をクリックすると、新しいチャットを開始できます

サイドバーに過去のチャットが一覧表示されており、タイトルをクリックすることでそのチャットの履歴を開くことができます

履歴の名前を変更する

チャットのタイトルは内容にあわせて自動的に付けられますが、**後からわかりやすい名前に修正**することもできます。

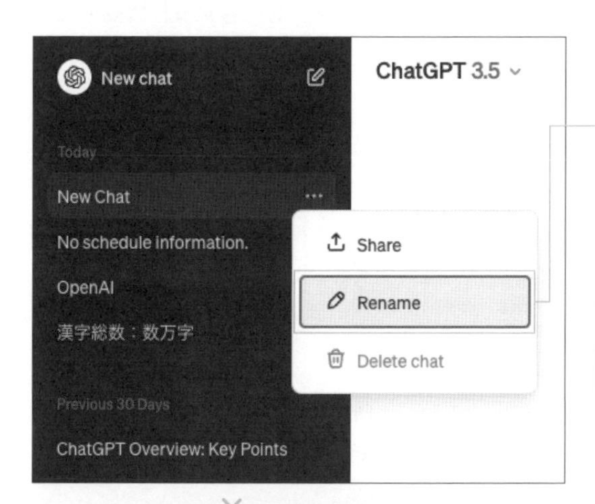

履歴のタイトル右側にある［…］→［Rename］（チャットの名前を変更）をクリックすることで、タイトルを変更できます

［Delete chat］（チャットを削除）をクリックして、チャット履歴を消去することも可能です

自動的に付けられるタイトルは英語のことが多いので、日本語に変えてしまいましょう

HINT

チャットを共有する

履歴の右側に表示された［…］をクリックしたときに表示される［Share］（チャットを共有する）をクリックすると、このチャットを他の人に共有できるリンクをクリップボードにコピーできます。これは次ページで解説する履歴の共有と効果はまったく同じです。

チャットの履歴を共有する

チャットの履歴はサイドメニューからいつでも見ることができますが、内容を他の人に見てもらいたいこともあるでしょう。そんなときは、**特定のチャット履歴だけを閲覧できる専用リンクを作成してくれる［チャットのリンクを共有する］機能**を使ってみましょう。

ChatGPTに基本的な情報を教えておく

Custom instructions(カスタム指示)で思い通りの回答を引き出そう

使用AI　ChatGPT、ChatGPT Plus

推しポイント　ChatGPTは新しく会話を始めると過去に伝えた情報などをすべて忘れてしまいますが、Custom instructionsを設定することで、基本的な情報を記憶させておくことができます。

Custom instructionsを設定する

Custom instructions(カスタム指示)とは、あらかじめ自分に関する情報や、ChatGPTにどのように振る舞ってもらいたいかを記述しておくことによって、**ChatGPTとの会話をよりパーソナルにするための機能**です。

①サイドバー最下部にあるアカウント名をクリック

②設定メニューが開くので[Custom instructions](カスタム指示)をクリック

③上の入力欄には、居住地や職業、趣味といった自分に関する情報を、下の入力欄にはChatGPTにどのように振る舞ってほしいかを記述

④[Save](保存)をクリック

You
日帰りでどこか行きたいんだけどおすすめある？

ChatGPT
日帰りで楽しめる場所として、箱根や横浜がおすすめです。箱根では温泉や美しい自然が楽しめますし、横浜では観光スポットや美味しい食べ物が豊富ですよ。どちらも東京からアクセスが良いです。

［New Chat］を開始すると、［Custom instructions］（カスタム指示）に書いた内容が反映されました。この例からは、居住地が東京であることをすでにChatGPTが知っていることがわかります

工夫次第でいろいろな使い方が可能

ここで説明した基本的な使い方以外にも、「プログラムコードを書く場合は必ずPythonで」「初歩的な解説は省いて」といった実務的な要望、そして「戦国武将になりきって」「語尾は、〇〇～だにゃあ、でお願いします」といった遊び心のある設定も可能です。いろいろ試してみましょう。

ただし、現在ChatGPT Plusで提供されている「GPTs」を使えば、より複雑な指示を簡単に設定することができます。詳しくはセクション15、43などで説明します。

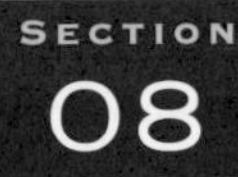

より使いやすくするための設定

ChatGPTの設定パネルを確認してみよう

使用AI　ChatGPT、ChatGPT Plus

推しポイント　ChatGPTの設定パネルには、見た目や挙動に関する項目がいくつか並んでいます。数は少ないですが、どれも重要な項目なので、きちんと把握しておくと、後々の使い勝手が変わってきます。

設定パネルを表示する

Custom instructionsと同様に設定パネルもサイドバーから開きます。見た目の変更や共有したチャット履歴の管理、データのエクスポートなどを行うことができます。

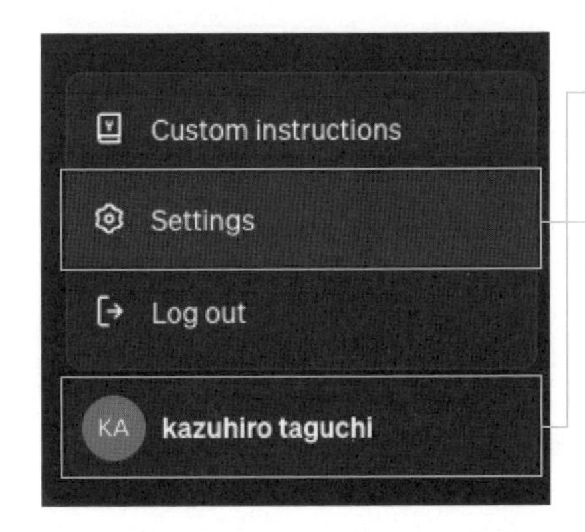

①サイドバー最下部にあるアカウント名をクリック

②設定メニューが開くので［Settings］（設定）をクリック

［General］（一般）の設定項目

［General］ではテーマ（見た目）の変更とチャット履歴の削除ができます。

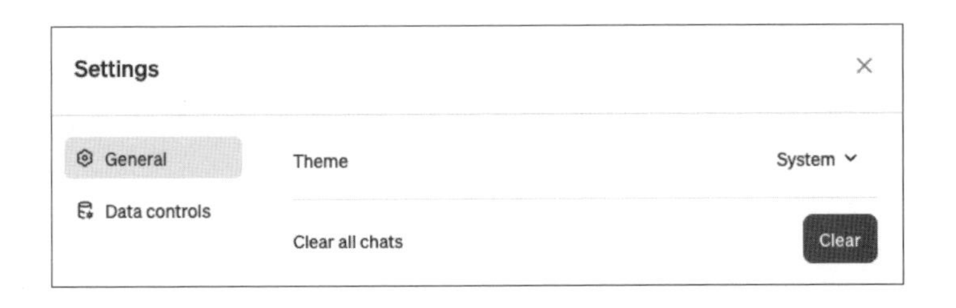

● **Theme**(テーマ)

画面の色合いを変更できます。［System］(デフォルト)、［Dark］(暗め)、［Light］(明るめ) の3種類から選べます。

● **Delete all chats**(すべてのチャットを削除)

［Delete all］(すべて削除) をクリックすることでこれまでのチャット履歴をすべて削除できます。ただしやり直しはできないので注意が必要です。

[Data controls](データ制御)の設定項目

［Data controls］では、入力したデータについて細かい設定ができます。

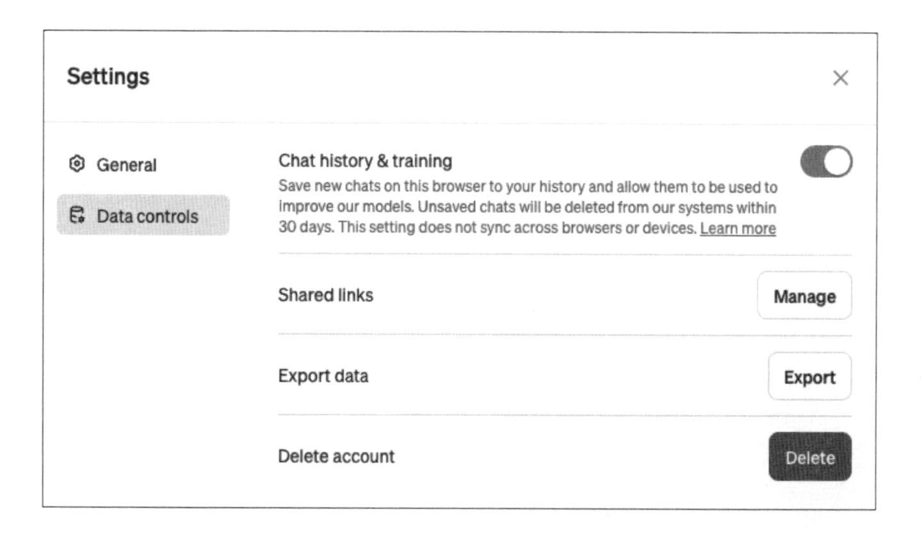

● **Chat history & training**(チャット履歴とトレーニング)

チェックをオフにするとチャット履歴を保存しなくなります。プライバシーに関わることや社外秘情報をチャットに入力する可能性がある場合はオフにしておいたほうがいいでしょう。なぜなら、オン (デフォルト) のままだと、その内容が新たなAIの訓練に使われてしまう可能性があるからです。

● **Shared links**(共有されたリンク)

チャット履歴の共有機能を使ってリンクを作成したことがある場合、その管理を行えます。過去に作ったリンクをもう一度誰かに伝えたいときなどに便利です。また、履歴の削除も行えます。

●Export data（データをエクスポート）

［Confirm export］（エクスポートを確定）を押すと、保存されたすべてのチャット履歴およびアカウントの詳細が書き込まれたデータを作成してくれます。データはjson形式なので、プログラムに読み込んで使うことも容易です。

●Delete account（アカウントを削除）

［Delete］（削除）を押し、確認画面に必要事項を入力することでアカウントを完全に削除できます。一度削除してしまうと同じメールアドレスで再びアカウントを作れなくなります。

HINT

有料版ChatGPT Plusの機能

有料版のChatGPT Plusに契約している場合、無料版にはない［Beta features］（ベータ機能）と［Builder profile］（ビルダープロフィール）の2つのタブが表示されます。前者では試供（ベータ）期間中の機能のオンオフを、後者では「GPTs」に表示する作者のプロフィールの編集を行うことができます。

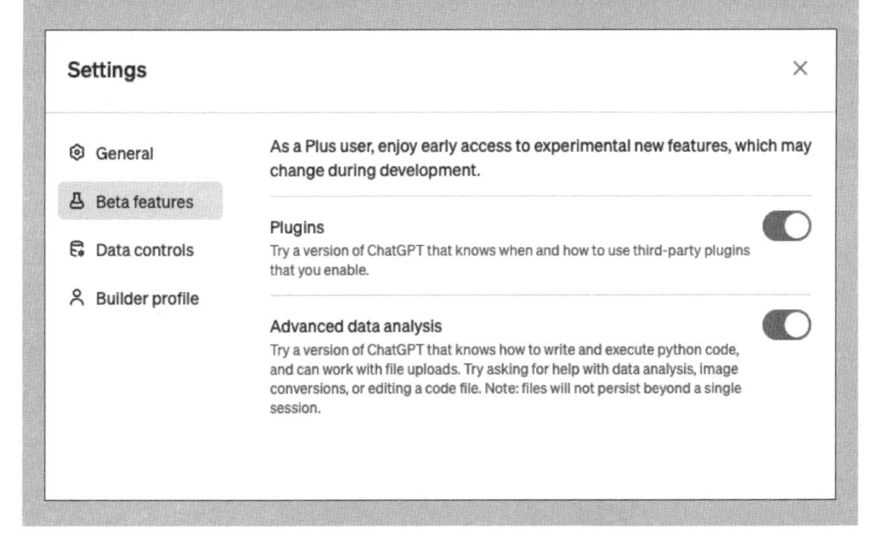

SECTION 09

パソコンがなくてもOK！　手軽に利用できる

スマートフォンでChatGPTを利用してみよう

使用AI　ChatGPT、ChatGPT Plus

推しポイント　ChatGPTにはスマートフォンアプリ（iOS / Android）も用意されており、Webブラウザ版とほぼ同じように利用できます。手軽に使えて便利です。有料版「ChatGPT Plus」にも対応しています。

アプリをダウンロードして使用

ChatGPTのスマートフォンアプリは、iOSは「App Store」、Androidは「Playストア」からダウンロードできます。アカウントはパソコンのWebブラウザ版と同じものを使用できるので、ログインするだけですぐに使い始めることができます。

なお、ストアで「ChatGPT」で検索すると、紛らわしいアプリが表示されることがありますので注意してください。必ず「ChatGPT／OpenAI」と書かれているものを選びましょう。

アプリ版のChatGPTの画面

アプリ版ChatGPTの画面は、基本的にWebブラウザ版と変わりませんが、ボタンの場所などが多少異なります。また特に、Webブラウザ版にないアプリ版独自の機能として、マイク入力によるプロンプトの入力や音声会話機能があります。

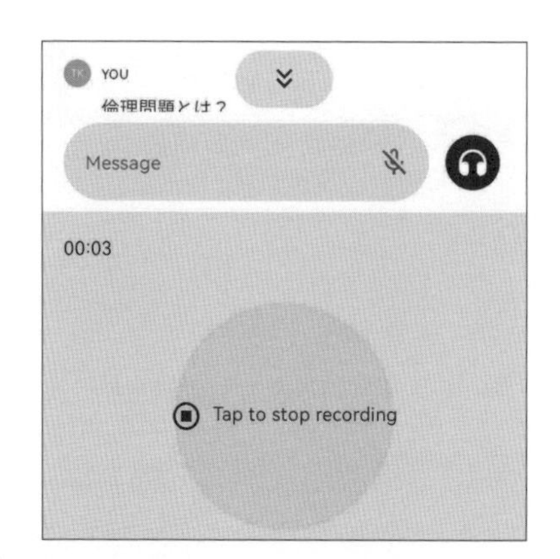

アプリ版で使えるマイク入力機能。直接音声で話した内容をプロンプトに入力できます

サイドバー表示。タップすると左側にチャット履歴を表示するサイドバーが表示されます

タップすると新しいチャット（New Chat）を始めることができます

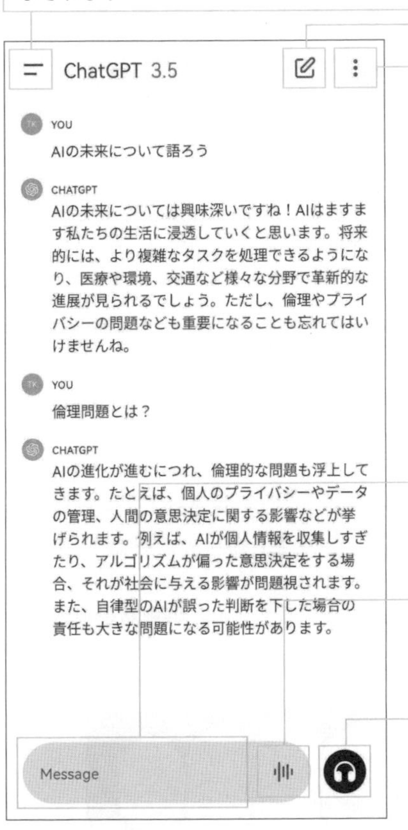

タップすると以下の操作を行うことができます（iOSアプリの場合は、上部の［ChatGPT 3.5］→［Manage Chat］から操作）

View Details
Custom instruction（カスタム指示）や使用モデルの内容を確認できます

Share
チャットの履歴を共有できます

Rename
チャット履歴のタイトルを変更できます

プロンプトを入力できます。入力後、右側のアイコンが［↑］に変わるので、タップすることで投稿できます

マイク入力です。タップすると音声でのプロンプト入力が可能になります

音声会話機能です。タップすると音声会話機能が始まります。詳しくはセクション10を参照してください

HINT

設定画面の開き方

サイドバー最下部に表示されているアカウント名または［…］をタップするとSettings（設定）画面が表示されます。Custom instructions（カスタム指示）やアプリの色味などを変更することができます。

SECTION 10

アプリ版独自の機能を使ってみよう

音声会話機能を利用してハンズフリーでChatGPT

使用AI　ChatGPT、ChatGPT Plus

推しポイント　アプリ版のChatGPTでは、質問だけではなく回答も音声で返してもらうことができます。使い道が限られそうですが、Webブラウザ版と違って、ハンズフリーで利用できるのが手軽で便利です。

音声会話機能を利用する

音声会話機能はスマートフォンアプリの［スピーカー］をタップすることで、すぐに開始できます。英語による会話が想定されていますが、**日本語で話せば日本語も理解し日本語で回答してくれます。**ChatGPTが回答を生成している時間があるため、人間と同じようなスピードというわけにはいきませんが、それでもAIと会話が成立していることには驚きを禁じえません。話し相手はもちろん**英会話の練習にも最適**です。

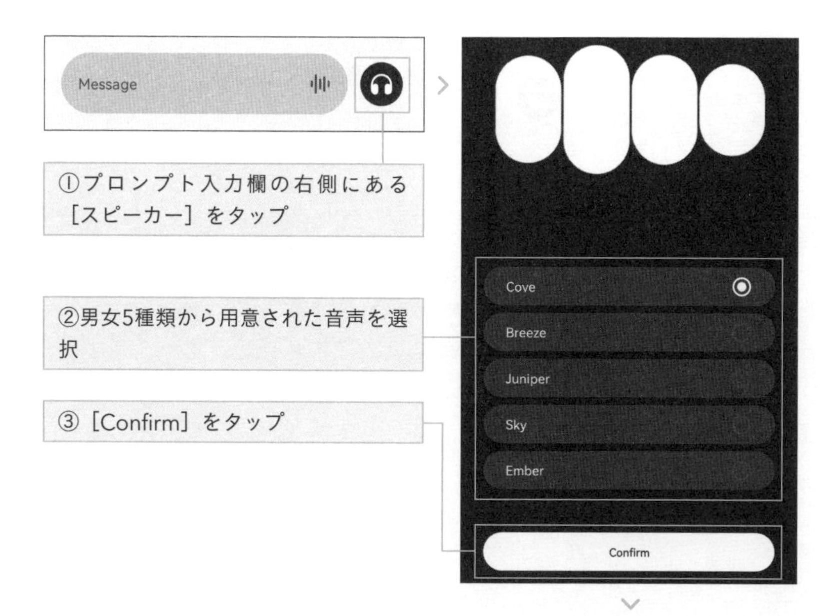

①プロンプト入力欄の右側にある［スピーカー］をタップ

②男女5種類から用意された音声を選択

③［Confirm］をタップ

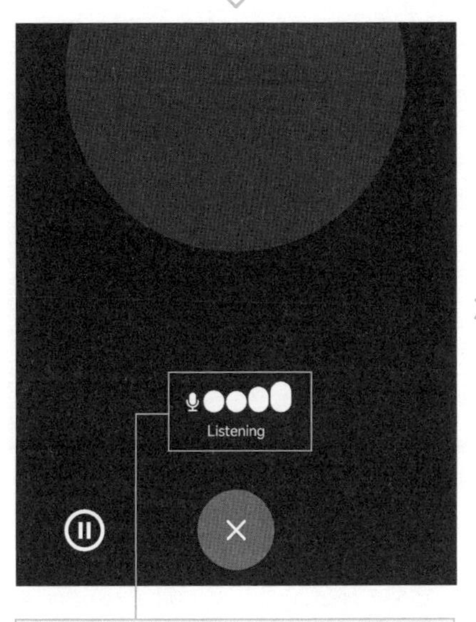

④環境によっては［Connecting］と表示されるのでしばらく待ち、［Listening］が表示されたら、あとは話しかけるだけ

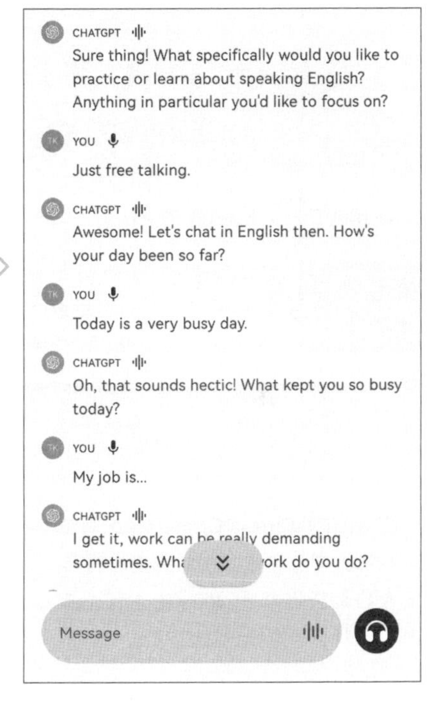

話すのをやめると、少し時間をおいてChatGPTが音声で回答してくれます

会話内容は保存されているので後で確認できます

HINT

日本語を認識してもらえないときは

周りがうるさい、滑舌が悪いなどの理由で、日本語を日本語として認識してもらえないことがあります。そんなときは設定画面から［Main Language］を選び、［Auto-Detect］（自動認識）から［Japanese］に変更しましょう。

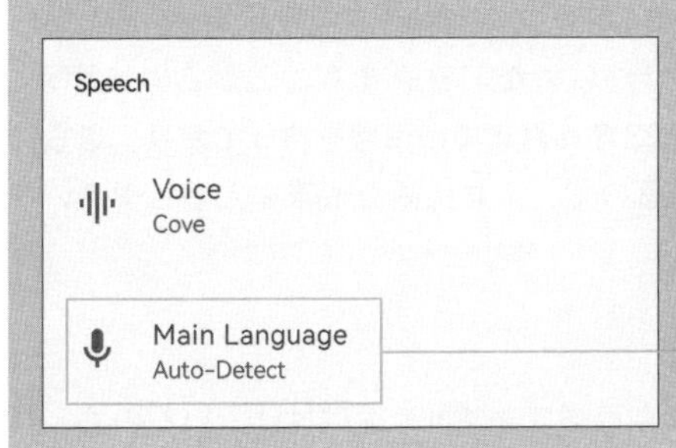

設定画面の［Main Language］から［Japanese］を選択しましょう

SECTION 11

無料版との違いは？

ChatGPT Plusでできることとアップグレード手順

使用AI ChatGPT Plus

推しポイント ChatGPTは無料で使えますが、有料版（月額20米ドル）のChatGPT Plusも用意されています。ここではChatGPT Plusのメリットと登録方法を紹介します。

ChatGPT Plusとは

ChatGPT PlusはChatGPTの有料サービスです。月額20米ドル（およそ2,900円）支払うことで、さまざまな恩恵を得ることができます。特に重要なのが無料版では使えない最新版の「GPT-4」を使えるようになることです。ほかにも画像を生成したり、オリジナルのChatGPTを作れるようになったりと盛りだくさんです。

●最新AI「GPT-4」を使える

実は無料版のChatGPTは「GPT-3.5」という1世代前のAI（大規模言語モデル）しか使えませんが、ChatGPT Plusに入ると2023年3月に発表された「**GPT-4**」が使えるようになります。

言語能力が大幅に上がる（精度が高くなる）のはもちろん、質問や回答に利用できる文字数が最大約5,000文字から約25,000文字に増えるのも大きなメリットです。

●最新の情報を取得できる

無料版のChatGPT（GPT-3.5）は2022年1月までの知識しか持っていません。したがってそれより未来のことを聞くとでたらめな回答をすることがありますが、ChatGPT Plusで利用できる**GPT-4は2023年4月までの情報を持っており、さらにインターネット上で検索することもできる**ので、より正確な情報を入手しやすいです。

●画像を使ったプロンプトを利用できる

GPT-4はテキストだけではなく写真によるプロンプトも受け付けているので、**写真をアップロードして「これは何？」といった質問をすることができます。**

「DALL-E 3」で絵を描ける

OpenAIが開発した画像生成AI「DALL-E 3」を使って**ChatGPTに絵を描いてもらう**ことができます。

「GPTs」を作成できる

2023年11月に発表された、**自分好みのカスタムChatGPTを作成できる「GPTs」**という機能を使うことができます。

アップグレード手順

ChatGPT Plusへのアップグレードは以下の手順で行えます。決済方法は現在のところクレジットカードのみになっています。また、時期によっては順番待ちリストに登録が必要なこともあります。

①ChatGPTにログインした状態で、左側サイドバー最下部にあるアカウント名の上に表示されている［Upgrade］をクリック

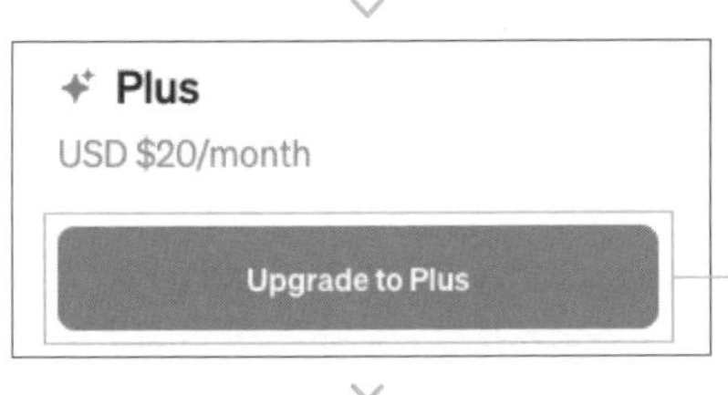

②プラン選択ウィンドウが表示されるので［Upgrade to Plus］（プラスプランにアップグレード）をクリック

③メールアドレス、クレジットカード情報、名前、請求書の住所を入力、規約とプライバシーポリシーに同意するためのチェックボックスにチェックを入れたら［申し込む］をクリック

SECTION 12

ネット検索から回答してくれる

ChatGPT Plusならネット検索で最新情報を元に答えてくれる

使用AI　ChatGPT Plus

推しポイント　無料版ChatGPTは2022年1月までの知識しか持っていませんが、ChatGPT Plusは2023年4月までの情報を持っており、ネット検索によって最新情報をもとに回答してくれるのが便利です。

GPT-3では最新の情報を調べることができない

無料版のChatGPT（GPT-3.5）は2022年1月までの知識しか持っていないので、それより新しい話題について聞くと答えられません。例えば、次のような話題です。

プロンプト入力例

2023年の日本シリーズの結果を教えて

応答例

申し訳ありませんが、**私の情報は2022年1月までのものであり、2023年の日本シリーズの結果に関する情報は提供できません。**最新のスポーツの結果やイベントについては、信頼性のあるニュースソースやオンラインのスポーツニュースサイトを参照することをお勧めします。

以前はでたらめな情報を捏造すること（ハルシネーションと呼ぶ）も多く、アップデートにより改善はされてきたようですが、情報が古いままであることは変わりません。

ChatGPT Plusはネット検索ができる

それに対して、ChatGPT Plusは無料版とは異なり、2023年4月までの知識を持っています。**GPT-4を使うことにより、新しい出来事もインターネットで検索して答えてくれるので安心**です。検索によって生成された回答には参考にしたページのリンクも掲載されるのでファクトチェックも可能です。

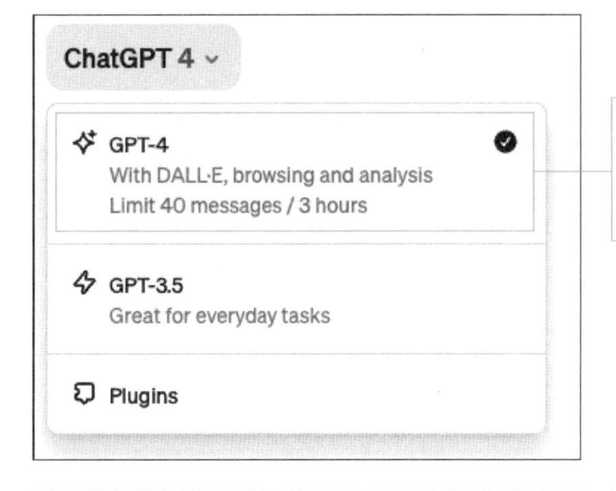

ChatGPT Plusに加入すると、画面左上のボタンからGPT-4を選択できるようになります

「Searching」と表示されているように、GPT-4ならネット検索から最新情報を取得できます

プロンプト入力例（GPT-4の場合）

2023年の日本シリーズの結果を教えて

応答例

2023年の日本シリーズでは、阪神タイガースがオリックス・バファローズを対戦成績4勝3敗で下し、38年ぶり2回目の日本一に輝きました。最終第7戦は、大阪市の京セラドーム大阪で行われ、阪神がオリックスに7対1で勝利しました。

このように無料版が答えられなかった質問に対しても、インターネット検索から最新情報を取得し、回答してくれます。ChatGPTをバリバリ使いこなしたいなら、有料版ChatGPT Plusの加入を検討してみるのもアリでしょう。

SECTION 13

画像について質問できる

ChatGPT Plusなら画像をアップロードして質問できる

使用AI ChatGPT Plus

推しポイント ChatGPT Plusは、テキストだけではなく画像をアップロードし、それについて質問をすることができます。スマートフォンで撮影した料理の名前などを聞くことができて便利です。

画像を含めたプロンプトを作成可能

ChatGPT Plusに加入してGPT-4を使うと、テキストだけではなく**写真をアップロードして、それをもとに会話をすることができます。**例えばスマートフォンで撮影した花の写真をアップロードして「これはなんという花？」と聞いてみる、といったことができるのです。もちろんインターネット上にある画像を使うことも可能です。

プロンプト入力例

この写真を説明して
①［クリップ］をクリックして、画像を添付
②質問を入力して、［↑］をクリック

応答例

この写真は、**明るい日差しの下でのんびりと草を食む2頭の牛が写っている風景**です。背景には幹の太い木と、その向こうに見える建築現場があります。写真の右側には、車の進入禁止を知らせる標識があり、それを背景に舗装された田舎道が伸びています。牛たちは道路の隣の緑豊かな草地で食事をしており、リラックスした雰囲気を醸し出しています。写真全体からは、都会の喧騒から離れた穏やかな農村の一コマを感じ取ることができます。

画像の一部に注目してもらう

スマートフォンアプリのみの機能ですが、画像の中の注目してほしい部分に手書きで印を付け、その部分に対して質問することも可能です。

プロンプト入力例

アプリ版で読み込んだ画像をタップすると、手書きで書き込みが行えます

応答例

これは日本の祭りをテーマにした装飾が施された通りの写真のようです。**赤い鳥居と桜の花**が見え、日本の伝統的な雰囲気を醸し出しています。鳥居の横には**「たこ焼き」と書かれた旗**があり、これは日本の食品を販売していることを示しています。

注目したい部分に対する答えが明確に回答されました。また、かなり小さくて見えにくいですが、周囲のたこ焼き屋さんの情報も伝えてくれます。この機能は特に、植物の名前を調べるときなどに便利ではないでしょうか？

HINT

人名などは調べられない

プライバシー保護の観点から、実在する人物やキャラクター、ブランドなどの名前は調べることを拒否されることがあります。また、不適切・攻撃的・差別的な内容や、ギャンブル・違法行為、医療に関するアドバイスなども同様です。

SECTION 14

美しい画像を生成できる機能

ChatGPT Plusで使える DALL-E 3で絵を描いてみよう

使用AI ChatGPT Plus

推しポイント 「DALL-E 3」とは、ChatGPT同様OpenAIが開発する画像生成AIモデルです。「満開の桜の絵を描いて」といったプロンプトで実際に桜の絵を描いてくれるのです。さっそく試してみましょう。

DALL–E 3に絵を描いてもらおう

テキストから画像を生成するAIサービスは以前から存在しますが、大量のコンピューターパワーが必要になるため、ほとんどのサービスが有料もしくは枚数制限がかかっています。しかし**ChatGPT Plusに加入すれば「DALL-E 3」が利用できるようになり、ほぼ無制限に画像を生成**できます。

使い方は簡単。GPT-4を用い、描いてほしい絵の内容をプロンプトに入力するだけです。

プロンプト入力例

大型犬と遊ぶ男の子の絵を描いて

応答例

公園で大型犬と遊ぶ男の子の絵が完成しました。温かみのあるシーンですね。

対話しながら絵を改良しよう

絵を部分的に改良してもらうことも簡単にできます。ChatGPTは会話の流れを把握しているので、**「もうちょっと明るく」「右の人物の髪を黒く」といった細かい指定も受け付けてくれます。**また、デフォルト状態の画像は正方形（1024×1024ピクセル）ですが、横長（1792×1024ピクセル）または縦長（1024×1792ピクセル）に変更することもできます。

プロンプト入力例（続き）

もう少し**写実的なタッチ**で、**横長で**描いて

応答例

より写実的なタッチで、大型犬と遊ぶ男の子の絵を描きました。どうぞご覧ください。

描いてもらった絵を保存しよう

描いてもらった絵を保存したいときは、画像の左上にカーソルを重ねると表示される[↓]をクリックしましょう。

画面左上の［↓］をクリックすると保存できます

HINT

無料で試してみよう

「DALL-E 3」はMicrosoftのチャット型AI「Copilot」や画像生成サービス「Bing Image Creator」でも無料で利用できます。ChatGPT Plusを契約する前に試用してみるのもよいでしょう。

SECTION
15

機能特化型の独自チャット

オリジナルのチャットを作れるGPTsを使ってみよう

使用AI　ChatGPT Plus

推しポイント　「GPTs」は「GPT」の複数形で、オリジナルのChatGPTを利用したり作ったりできる新機能です。将来的には「やりたいことに」合わせてGPTsを使い分ける未来がくるかもしれません。

まずはOpnenAI製のGPTsを利用してみよう

GPTsを利用するには、「My GPTs」(私のGPTs) という画面を開きます。画面上部には自分だけのGPTを作ることができる「Create a GPT」と、「DALL-E」「Data Analysis」「ChatGPT Classic」といったOpenAIが作成したGPTsが用意されており、自由に利用できます。まずはOpenAI製のGPTsから使ってみましょう。

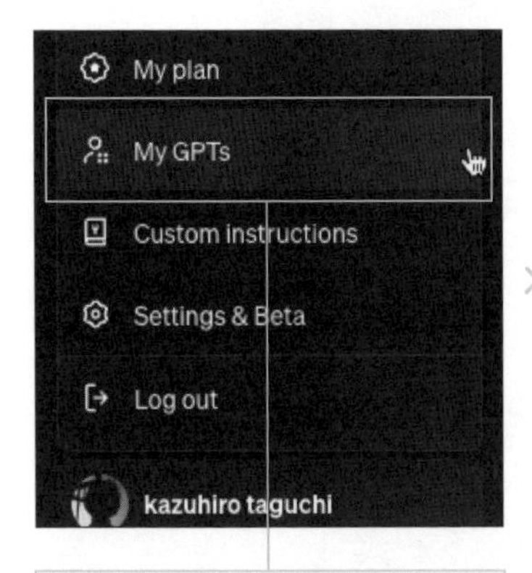

①サイドバー最下部にあるアカウント名をクリックし、[My GPTs] (私のGPTs) を選択

サイドバー上部にある[Explore] (探索する) をクリックしても同じ画面を開くことができます

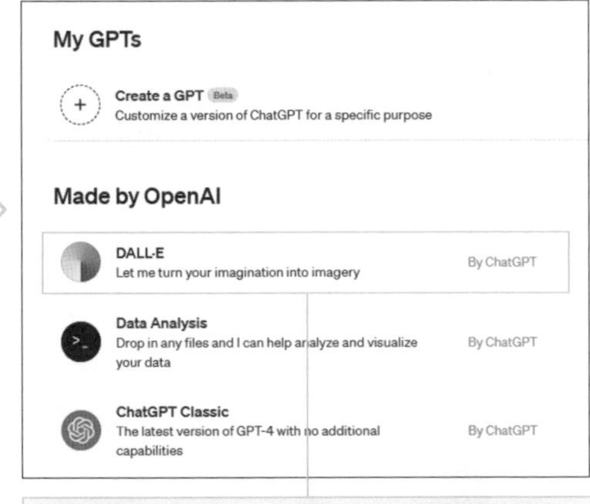

② [Made by OpenAI] 以下にOpenAI製のGPTが並んでいるので、ここでは画像生成が得意な [DALL-E] をクリックして選択

OpenAI製のGPTsの1つである「DALL-E」が表示されました。チャットウィンドウの左上に［DALL-E］と表示されています

③通常のChatGPTと同じように、ここでは描いてほしい絵のイメージをプロンプトに入力

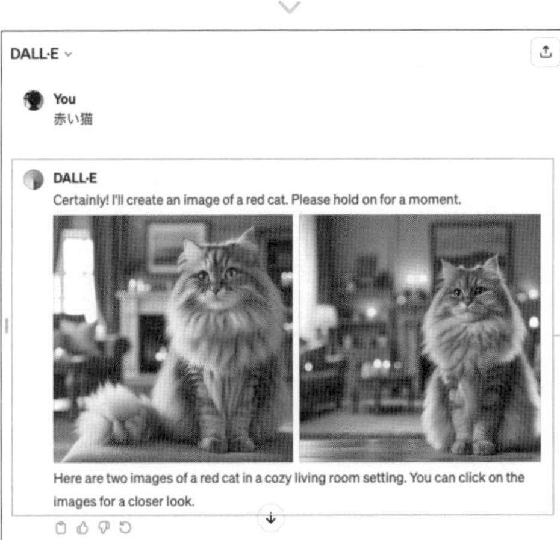

「赤い猫」というプロンプトだけで、特に何も指定しなくても猫（赤くはないですが）の絵を描いてくれました。「DALL-E」が画像を描くことに特化したGPTだからです

HINT

GPTsをサイドバーに固定する

チャットウィンドウの左上に表示されるGPTの名前をクリックすると表示されるメニューから［Keep in sidebar］（サイドバーに保持）を選ぶと、左側のサイドバーにそのGPTが固定され、常に選択できるようになります。

COLUMN

サム・アルトマン解任騒動

2023年11月、OpenAIの共同創設者でありCEOであるサム・アルトマンは、取締役会によってGoogle Meetの通話で突然解任されました。この決定は、アルトマンと取締役会間のコミュニケーションの断絶が原因であるとされました。この件は大きな混乱を引き起こし、多くのスタッフがアルトマンの支持を表明し、彼がCEOとして復帰しなければ辞職を考えているとSNSで表明しました。

同時に、MicrosoftのCEOであるサティア・ナデラは、アルトマンと元OpenAI社長のグレッグ・ブロックマンを含むチームを、新しい先進的なAI研究チームのリーダーとして採用することを発表しました。これにより、OpenAIスタッフがアルトマンとともにMicrosoftに移籍する可能性が高まりました。

しかし、11月21日、アルトマンは新しい取締役会のメンバー（ブレット・テイラー、ラリー・サマーズ、アダム・ダンジェロを含む）と共にOpenAIのCEOとして復帰しました。ブロックマンも再び同社に戻りました。アルトマンは復帰後、彼に対してクーデターを起こしたとされるほぼすべての以前の取締役会メンバーを解任しました。

アルトマンの解任の理由に関して、OpenAIの取締役会は、彼が「取締役会とのコミュニケーションにおいて一貫して率直でなかった」ことが原因であり、「取締役会の責任を果たすことを妨げていた」と述べました。一方で、一部の報告によると、OpenAIが開発していたAIモデルの力が強すぎるため、安全性に対する懸念があったとも言われています。

この一連の出来事は、AIの未来が少数の人々の手に委ねられるのではなく、集団的な責任であること、そしてAIの世界での進路は慎重に進める必要があることを世界に思い出させました。

なお、上記の文章は以下のスクリプトでChatGPT（GPT-4）が生成した文章を、事実確認を行って再編集したものです。

プロンプト入力例

OpenAIのCEOサム・アルトマンが更迭された騒動について、客観的な視点で短くニュース記事風にまとめてください

第2章

すぐに使える！実用性の高いChatGPT活用例

SECTION 16

活用する前に知っておきたい特性

ChatGPTが向いていること、向いていないこと

使用AI ChatGPT、ChatGPT Plus

推しポイント ChatGPTは実行不可能だったり、答えがない場合でも、何らかの答えを返してくれるところが優れていますが、やはり向き不向きがあります。第2章のはじめに、まずはその点を確認しておきます。

ChatGPTが向いていること

ChatGPTがこれまでのAIと違うところは「人間っぽい部分」こそ、得意分野だということです。

膨大な事前学習データのおかげで、多くの領域を横断的に網羅しているため、特に**比較・分析などには基本的に向いています。**ある特定の専門分野と別の専門分野にまたがったりしても、適切な比較・分析を行ってくれます。また、とにかくうまいのが、**すでにある情報をアレンジして提示すること**です。中でも、ネット上に数多くのお手本が存在する分野（例えば自然言語によるコミュニケーション）では大きな力を発揮します。つまり、これまで人類が積み上げてきた情報が多いほど､ChatGPTはより多くの領域にまたがり、あたかも人間らしい回答をアレンジしやすいという面があるのです。

逆説的ですが、人類が積み上げてきたデータを膨大に学習しているAIだからこそ、逆に人間にはなかなかできないこと、例えば**数をたくさんこなす**といったこともChatGPTには向いています。「何でもいいから、アイデアを1000個出せ！」なんてことは、10人いても簡単にはできません。でも､ChatGPTにはむしろ得意なことですし、その結果をさらに変更・分類したり、ときには絞り込んだりすることも瞬時にこなしてくれます。

そして､ChatGPTが**扱うことができる情報の種類はどんどん増えて**います。元々テキストだけしか扱えなかったのですが、その後画像を扱えるようになったり、出力するファイル形式が増えたりしています。もちろん「プログラム」も言語という意味では、自然言語と同様かそれ以上に得意としており、プログラミングができない人でも､ChatGPTを使えば、何らかのプログラムを作ることができるのです。

さらに有料版のChatGPT Plusであれば、ユーザーが持っているデータ――ChatGPTがまだ持ってないデータを追加することも可能です。この機能のおかげで、

ChatGPTを自分の**独自データをもとに動作する、専用アシスタントのように扱うこともできる**わけです。

このように、人間には簡単にできないことを人間っぽく仕上げてくれる、そこがChatGPTのすごいところです。

ChatGPTが向いていないこと

ChatGPTの内部処理というのは、基本的には一方通行です。

そのため、まったく**同じことを繰り返すことがあっさり苦手**だったりします。計算ミスをしたりするのも、これが原因です。一度教えたはずのことが、ときとしてできなくなったりするのもこれが理由です。同じ処理をさせたい場合は、同じチャット内でやったほうがいいですし、同じチャットであってもトークンによる限界というものは存在します。

そして、ChatGPTは基本的には、回答した内容について、意味そのものを理解していません。「この可能性が一番高いですよ」ということを示しているだけなのです。そのため、**「これしか正解がありません」という問いに対しては、基本的には不得意**です。どうしてもうまくいかないときは、質問の仕方を変えてもいいですが、とりあえず新しいチャットを立てて、最初からやり直すほうが賢明だったりもします。

もちろん、ChatGPT Plusであれば、自分で独自データを追加することもできます。でも、それでもChatGPTの答えはあくまでもこれまで人類がやってきたことの延長にあるものです。つまり、大げさに言えば、これまで**人類が遭遇したことのないような問題に対しては、ChatGPTは基本的に無力**なのです。

ChatGPTに向いている、向いていないに関係なく活用するコツ

ChatGPTはときとして、間違った情報を出したり、あっさり「できません」と答えたりします。それでも、チャットという形式を取っているため、会話のプロセス自体は残ります。そのため、どうしたらいいかわからない状態で放置されることが実に少ないです。

ChatGPTはユーザーが納得するまで（制約はありますが）、どこまでも会話を続けることができます。**わからない、納得できない、それではダメだと思っても、手を変え、品を変え、ChatGPTに言葉を与え続ければいい**のです。

幸い、生成AIの能力の指標の1つであるトークンは増え続けています。少し乱暴に表現すれば、本1冊分の対話を続けることもできるのです。

しかも、ChatGPTは嫌な顔をしません。ご機嫌取りをする必要もありません。今求めているものにたどり着くまで、どこまでも付き合ってくれます。**聞いているこちら側がへこたれないことが、活用のための一番のコツ**かもしれません。

SECTION 17

1人で悩まず、AIに聞いてみよう

Webメディア・ブログなどで記事のアイデアを出してもらう

使用AI ChatGPT、ChatGPT Plus

推しポイント 書かないといけないとなると出てこない記事のアイデア。そんなときの壁打ち相手として、ChatGPTは最高のパートナー。まずは何か問いかけ、返ってきた内容から質問を重ねることがポイントです。

最初に何を問いかければ良い？

ChatGPTに与える情報のうちで、まず必要なのが、自分の状況の説明です。**細かいことは考えずに、どうして今ChatGPTに相談しようとしているのかと素直に問いかける**のが一番です。記事のアイデア出しなんてChatGPTは最も得意としていることですから、あれこれ悩むだけ時間の無駄です。

プロンプト入力例

会社のオウンドメディアで何か書きなさいと無茶ぶりされ、困っています。アイデア出しに付き合ってくれる？

応答例

もちろん、お手伝いします！　会社のオウンドメディア用のコンテンツを考えるにあたって、**いくつかの質問をさせてください。**まず、あなたの会社がどの業界に属しているか、そしてどのような読者や顧客を対象にしているかを教えていただけますか？　また、どのようなトピックがあなたの会社にとって関連性が高いか、既に公開されているコンテンツの例があれば教えてください。**これらの情報に基づいて、効果的なコンテンツのアイデアを提案できる**と思います。

教えてくれと言われたら、さらに簡潔に答えていく

ChatGPTが今の課題解決のために「こういうことを教えてくれ」と言ってきたら、もう勝ったも同然です。また、あれこれたくさん聞かれることもありますが、何も全部答えなくても大丈夫です。**今答えられることだけを素直に答えましょう。**

プロンプト入力例（続き）

ネットのサービスをやっています。読者は潜在顧客です

応答例

ネットサービスを提供している会社のオウンドメディアに向けたコンテンツのアイデアですね。**潜在顧客をターゲットにすることを考慮に入れて、以下のようなアイデアを提案**します：

1. **業界のトレンドと分析**：
   - ネットサービス業界の最新トレンドやイノベーションを取り上げ、それがどのように顧客の日常やビジネスに影響を与えるかを分析する記事。

2. **ケーススタディと成功事例**：
   - 実際の顧客事例やサービスの成功事例を紹介し、どのようにしてあなたのサービスが価値を提供したかを示す内容。

3. **ハウツーガイドとチュートリアル**：
   - あなたのサービスを最大限に活用するためのヒントやガイド、チュートリアルを提供することで、潜在顧客に具体的な価値を示す。

4. **業界の専門家によるインタビュー**：
   - 業界のリーダーや専門家をインタビューし、彼らの洞察やアドバイスを共有する。これにより、権威性と信頼性を築くことができる。

5. **ユーザーインタラクションの強化**：
   - 読者が参加できるオンラインイベントやアンケート、コンテストを企画して、コミュニティを構築する。

6. **業界ニュースのまとめ**：
   - 業界の最新ニュースや変化を定期的にまとめ、読者が情報を迅速にキャッチアップできるようにする。

――省略――

アイデアのきっかけをつかんだところで終わりにしない

この要件を全部こなせば、アイデアの1つや2つは出てくるだろうという回答がきました。でも、ここで安心してはもったいないです。**もう1つ、さらに問いかけてみましょう。また、これはいい内容だと思ったら、それもちゃんと伝えましょう。**

プロンプト入力例（続き）

どれもいい内容ですね。ところで、月に２本は書いてくれと言われているのですが、運用で気を付けたほうがいいことなどあれば教えてください

応答例

月に２本のコンテンツを作成し、オウンドメディアを運用する際に気を付けるべき点をいくつかご紹介します：

1. **一貫性のあるスケジュール**：
   - 読者がいつ新しいコンテンツを期待できるかを知ることが重要です。定期的に投稿することで、読者の期待に応え、サイトへの定期訪問を促します。

2. **品質とリレバンス**：
   - 量より質を重視してください。内容は読者にとって関連性が高く、有用であることが必要です。また、文章や画像の品質にも注意し、プロフェッショナルな印象を与えることが重要です。

3. **SEOの最適化**：
   - 検索エンジンでの視認性を高めるために、キーワードの選定やメタデータの最適化に注意してください。これにより、潜在顧客のリーチが拡大します。

4. **読者とのエンゲージメント**：
   - コメントセクションやソーシャルメディアを通じて読者と積極的にコミュニケーションを取ることで、コミュニティを構築し、ブランドへの忠誠心を高めます。

5. **分析と改善**：
   - ウェブアナリティクスを利用して、どのコンテンツが良いパフォーマンスを示しているかを定期的に分析し、必要に応じて戦略を調整します。

6. **マルチチャネル戦略**：
   - コンテンツを他のプラットフォームやメディア（例：ソーシャルメディア、ニュースレター）で共有することで、より広いオーディエンスにリーチします。

7. **法的遵守と倫理**：
   - 著作権やプライバシーの問題に注意し、すべてのコンテンツが法的な基準に準拠していることを確認します。

――省略――

HINT

内容がわかりにくいときにやってみるといいこと

今回の例では、ChatGPTが最初から箇条書きで回答してくれましたが、毎回こうしてわかりやすく提示してくれるわけではありません。また、箇条書きがベストであるとも限りません。どこかわかりにくいなと思ったときには、**「箇条書きにして」とか「500文字ぐらいにして」**などと回答の形式を指定してあげると、意図に近い回答を得やすくなります。

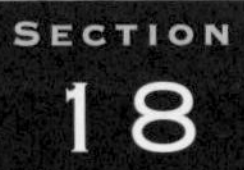

原稿素材を大量に生成させる

SNS原稿、キャッチコピー、タイトル、リードの案を100案出させる

使用AI ChatGPT、ChatGPT Plus

推しポイント ChatGPTは「数をたくさんこなすこと」が大得意。人間では膨大な時間のかかる「100個のアイデア出し」作業も、ChatGPTに任せれば、あっという間に生成してくれます。そのコツをお伝えします。

コツはいきなり100案を求めない

さすがにChatGPTとはいえ、いきなり「100個出せ」というのは効率が悪いです。なので、まずは10案を固めることから始めましょう。

プロンプト入力例

SNS原稿、キャッチコピー、タイトル、リードの案を100案求められてしまいました。なので、まずは10案から始めたいです

応答例

SNS原稿、キャッチコピー、タイトル、リードの案を100案提案するのは大変な作業ですが、まずは10案から始めましょう。ただし、より効果的な提案をするために、**どのような商品やサービスに関しての案を求めているのか、またターゲットとする顧客層やコンセプトについての詳細を教えていただけますか？** これらの情報があれば、よりターゲットに合った魅力的な案を考えることができます。

前節と同様、とりあえず会話を始めると、ChatGPTから質問をしてきます。それに対して答え、会話を重ねることで、目標に近付けていきましょう。

プロンプト入力例（続き）

会社の商品を紹介するためのアイデア出しです。ターゲットは中年男性です。コンセプトは100年人生。商品は男性向けコスメです

応答例

会社の商品である男性向けコスメについて、中年男性をターゲットにし、「100年人生」というコンセプトを踏まえたSNS原稿、キャッチコピー、タイトル、リードの案を考えます。ここでは、10案を提案します。

1. キャッチコピー
"年を重ねるごとに輝く、あなたのためのスキンケア。"
2. SNS原稿
"100年時代の肌ケア。中年から始める、エイジングケアの新常識。当社の男性向けコスメで、日々をもっと輝かせましょう。"
3. タイトル案
"中年からの肌革命： 100年人生を支える男性用スキンケア"
4. リード案
"時を重ねる美しさを、男性にも。当社の独自開発した男性用スキンケア製品で、あなたの肌を若々しく保ちましょう。"
5. キャッチコピー
"男の肌に、自信と活力を。100年時代のエイジレス美容。"
6. SNS原稿
"長い人生、肌も共に歩む。高品質で効果的な男性用コスメで、日々の肌トラブルに立ち向かいましょう。"
7. タイトル案
"エイジングケアの新標準： 中年男性のためのスキンケアガイド"
8. リード案
"100年人生を最高にするために、肌から始める新しい日常。当社のコスメで、あなたの肌を健やかに。"
9. キャッチコピー
"中年の肌に春を。あなたの肌を甦らせる革新的コスメ。"
10. SNS原稿
"肌年齢を感じさせない、新しい自分への第一歩。当社の男性向けコスメで、毎日をもっと自信に満ちたものに。"

これらの案は、中年男性が自分の肌に気を使い、エイジングケアに意識を向けることを促す内容になっています。商品の特徴や企業のブランドイメージに合わせて調整すると良いでしょう。

10個決まったら、それぞれ10倍にしていく

ChatGPTは1回のやり取りに上限があります。もちろんそれを続けていくこともできますが、10個ずつやっていって、それぞれいいものに仕上げていきましょう。

プロンプト入力例（続き）

まずは、1. キャッチコピー を10倍にしたいです。オッケーですか？

応答例

もちろんです。1つのキャッチコピーを10倍に拡張して、合計10の異なるキャッチコピーを作成します。こちらが提案です：

1. "年を重ねるごとに輝く、あなたのためのスキンケア。"
2. "歳月を重ねる男性の肌に、深いうるおいと輝きを。"
3. "エイジレスな肌への第一歩。中年男性のための特別なケア。"
4. "肌の時計を巻き戻す、男性専用スキンケア。"
5. "自信を取り戻す、中年のための肌輝きレシピ。"
6. "長い人生、若々しい肌で。男性のためのエイジングケア。"
7. "中年の魅力を引き出す、肌のための高級ケア。"
8. "肌も人生も、輝く中年へ。男性専用エイジングケア。"
9. "自分の肌に誇りを。中年男性のためのプレミアムスキンケア。"
10. "年齢を感じさせない肌へ。男性のための特別なケアがここに。"

これらのキャッチコピーは、中年男性が自身の肌のケアに関心を持ち、自信を感じられるようなメッセージを伝えることを意図しています。それぞれのフレーズは、商品の特性や企業のブランドイメージに応じて調整することができます。

それぞれを10倍にすると、あっという間に100個のアイデアに

同じように、SNS原稿、タイトル案、リード案を10倍にするための質問を投げかけましょう。この要領で質問を重ねることで、100個のアイデアを出してもらうことも可能です。

プロンプト入力例（続き）

次に、2. SNS原稿を10倍にしたいです

プロンプト入力例（続き）

次に、3. タイトル案を10倍にしたいです

プロンプト入力例（続き）

次に、4. リード案を10倍にしたいです

10回リピートされてしまったら……？

「10倍にしたい」と質問すると、同じ答えを10回リピートしてしまうことがあります。その場合は、質問の仕方を少し変えて、「10回リピートではなく、10個異なる原稿を書いてください」などと入力すると、10の異なるアイデア出しを行ってくれます。

SECTION 19

ネタ切れで困ったときに便利

YouTube動画のアイデアを出してもらう

使用AI ChatGPT、ChatGPT Plus

推しポイント YouTube動画をたくさんアップしたいが、「アイデアが出てこない！」という方も多いのでは？　それなら、ChatGPTに正直な気持ちをぶつけてみてください。意外ですが、これが正攻法です。

例えば、YouTubeに商品の紹介動画をアップしたい場合

YouTube動画といっても、いろいろなジャンルがあります。さすがにその点を飛ばしてしまうと、ChatGPTの回答もとんちんかんになりますから、ここでは例として、YouTubeの定番ネタである「商品の紹介動画を撮る」という体で質問してみましょう。

プロンプト入力例

YouTube動画のアイデアが欲しいです。商品の紹介動画を撮りたいのですが、アイデアありますか？

応答例

YouTube動画の商品紹介についてのアイデアをいくつか提案します。

1. **製品の開封動画**: 製品を開封し、その内容物やパッケージについて詳細に説明します。視聴者は製品が実際にどのように届くかを見ることができ、開封の楽しさを共有できます。

2. **使い方デモンストレーション**: 製品の使用方法をステップバイステップで見せることで、視聴者に製品の機能性と実用性を示します。リアルタイムでの使用シーンを通じて製品の価値を伝えることができます。

3. **ビフォーアフター比較**: 製品を使用する前と後の結果を比較してみせることで、その効果を視覚的に示します。特に化粧品や家電製品など、使用前後で変化がわかりやすいアイテムに適しています。

4. **FAQセッション**: 製品に関するよくある質問を集めて、それに答える形式で動画を作成します。これにより、視聴者の疑問や懸念を直接解消することができます。

5. **顧客のレビューと反応**: 実際の顧客のレビューや反応を紹介することで、製品の信頼性と人気をアピールします。顧客の体験談や感想を共有することで、他の視聴者に製品の魅力を伝えることができます。
これらのアイデアを活用して、興味深く、情報豊かな商品紹介動画を作成できるでしょう。

アイデアが多すぎるなら、絞り込もう

かなり参考になるアイデアが出てきました。ただ、質問の仕方によっては、予想以上に多くのアイデアが出てくる可能性もあります。質問を続けて絞り込みを行いましょう。

プロンプト入力例（続き）

いきなり全部はできません。この中から1つ、まずやってみるといいのはどれでしょう？

応答例

初めて商品紹介動画を作成する場合は、「製品の開封動画」を試してみるのが良いでしょう。このアプローチは以下の理由で初心者にも適しています：

1. **シンプルで直感的**: 開封動画は複雑な準備や特別な技術を必要とせず、商品を開けてその中身を見せるだけです。このシンプルさが初心者にとって扱いやすいです。

2. **視聴者との共感を促進**: 製品を開封する瞬間は多くの視聴者にとって興味深いものです。この「開封の儀式」を通じて、視聴者は新しい製品に対する期待や興奮を共有できます。

3. **製品への興味を刺激**: 新しい製品の外見、梱包材、付属品などを細かく見せることで、視聴者の製品に対する興味を高めることができます。

4. **制作の柔軟性**: 開封動画は、編集が比較的簡単で、追加の撮影や編集技術をあまり必要としません。自然な流れで製品を紹介できます。

これらの点を考慮すると、製品の開封動画はYouTubeでの商品紹介において初心者に最適なスタートポイントと言えます。

ユーザーが初心者であることを見抜き、はじめて動画を制作する場合にぴったりのアイデアを提示しつつ、そのメリットを列挙してくれました。

SECTION 20

え？　こんなことにも使えるの？

考えるだけで憂鬱になる お詫びの文章を書いてもらう

使用AI　ChatGPT、ChatGPT Plus

推しポイント　できれば人生で関わりたくないお詫びの文章。いい加減にはできないし、言いすぎてもいけません。でも、幸いネットにはたくさんの定型文があるため、ChatGPTが得意な分野とも言えるのです。

上司がSNSでプチ炎上した場合

ここでは例として、自分の上司がSNSでプチ炎上したケースで考えてみます。本来は炎上した本人が書くべきかもしれませんが、炎上の渦中にある人にいきなり書かせても冷静さを欠いたものになりがちです。ここはChatGPTに代筆してもらいましょう。

プロンプト入力例

上司がSNSで言わなくてもいいことで、プチ炎上しました。会社として謝罪するほどではないのですが、お手本になるような文章を上司に頼まれています

応答例

上司がSNSで不適切な発言をしてしまい、小さな炎上が起こった場合、**丁寧で謙虚な謝罪文を書くことが重要**です。このような状況では、以下のポイントを含む文章が適切かもしれません：

1. **誠意のある謝罪**：直接的に謝罪の言葉を述べ、誤解を招いたことに対する責任を認めます。
2. **発言の影響の認識**：発言がどのように受け取られたかを理解し、関係者やフォロワーに与えた影響について触れます。
3. **今後の対策**：同様の問題を防ぐための具体的な行動や対策を紹介します。
4. **感謝の表現**：炎上を通じて気づきを得たこと、指摘してくれた人々への感謝を表します。

こうした要素を踏まえた謝罪文の例を示します：

件名： SNSにおける私の発言について

皆様へ

この度は、[SNSプラットフォーム]において私が投稿した内容により、不快な思いをさせてしまったことを心よりお詫び申し上げます。私の発言は不適切であり、誤解を招くものでした。これにより、皆様にご心配や不安をおかけしたことを深く反省しております。

私の投稿がどのように受け取られたかを十分に理解し、今後はより慎重に発言することをお約束します。また、今回の出来事を教訓として、私自身のSNS利用に関するガイドラインを見直し、適切なコミュニケーションを心掛ける所存です。

このような状況を招いたことを真摯に受け止め、皆様からのご意見やアドバイスをありがたく思います。皆様のご支持は私にとって大変貴重です。

最後になりますが、この一件でご迷惑をおかけしたことを改めてお詫び申し上げます。今後とも、皆様のご期待に応えられるよう努力して参ります。

敬具

[上司の名前]
[役職]
[会社名]

この文面は、謙虚で誠実な態度を示すとともに、具体的な改善策を提案しています。これにより、信頼の回復に努める姿勢を示すことができます。

ポイントを押さえた完璧な謝罪文！

お詫びの文章に必要なポイントを4つにまとめ、それら4要素をこなれた日本語で文章化してくれました。しかも丁寧に「SNSプラットフォーム」「上司の名前」「役職」など、書き換えが容易なようにテンプレート化しているのも気が利いています。

HINT

サンプルの謝罪文をWordファイルにして使おう

有料版のChatGPT Plusであれば、この謝罪文をファイルに変換して、Wordファイルとしてダウンロードできます。文字通り、テンプレートとして使えるわけですね。

プロンプト入力例

謝罪文の例をワードファイルにしてください

SECTION 21

いざ考えるとなると、けっこう難しい

人の心に響くキャッチコピーを考えてもらう

使用AI ChatGPT Plus

推しポイント コピーライターという職業が存在するほど、高度な仕事の1つであるキャッチコピー。いきなりプロレベルのものは無理かもしれませんが、ChatGPTによって精度を上げていくことはできます。

商品のキャッチコピーを考える場合

世間に向けて、自社の商品をどのようなコピーで表現できるのか。ChatGPTを活用する場合は、自社商品のWebページの情報をもとに考えてもらうのが効果的です。やり方は実に簡単で、「コピーを考えて」といった指示に続けて、商品ページのURLを貼り付けるだけです（Web検索をするにはChatGPT Plusが必要です）。以下では、株式会社インプレスが手がける書籍シリーズ「できるビジネス」のコピーを例にしました。

プロンプト入力例

自社商品のキャッチコピーを検討したいです。Webサイトは以下です
https://book.impress.co.jp/category/series/dekirubussiness/

「できるビジネス」の商品ページ。このURLを貼り付けました

応答例

自社の商品に合ったキャッチコピーを考えるためには、商品の特徴や提供する価値、ターゲットオーディエンスを考慮する必要があります。提供されたウェブサイトが「できるビジネス」カテゴリの書籍に関連していることから、ビジネス関連の商品に関するキャッチコピーを以下に提案します。ただし、**具体的な商品情報が提供されていないため、一般的**

なアプローチとなります。商品の詳細に応じてカスタマイズしてください。

"ビジネスの未来を共に築くパートナー。"
"成功への第一歩、私たちがサポートします。"
"ビジネスの成長を加速させるツールと知識。"
"ビジネスのプロフェッショナルのための最高の選択肢。"
"一流のビジネスソリューション、あなたの手の中に。"
これらのキャッチコピーは、ビジネス関連の商品に対して一般的なメッセージを伝えるものです。実際の商品の特徴や競合との差別化を考慮し、ユニークで魅力的なキャッチコピーにカスタマイズしてください。また、ターゲットオーディエンスのニーズや価値観に合ったメッセージを強調することも重要です。商品の魅力を引き立て、顧客に魅力的な提案を伝えるキャッチコピーを作成してください。

一般的な答えが返ってきたら、具体的な情報を追記する

回答の中で強調したように、これは一般的な答えで、やや漠然としています。そんなときは、より具体的な情報を付け加えてみましょう。

プロンプト入力例（続き）

「できるビジネス」は、ビジネスでのコンピューターやITの効果的な使用に関する実践的な知識やスキルを提供している書籍のシリーズです。この情報をもとに、コピーを再考してください

応答例

このシリーズは、ビジネスにおけるコンピューターやITの効果的な活用に焦点を当てていることから、以下のキャッチコピー候補が考えられます：

"ビジネスの未来をテクノロジーで形作ろう。"
"ビジネスの成功には、ITの力が必要です。"
"ITの力でビジネスを加速させる。"
"ビジネスにおけるテクノロジーの知識と実践を提供。"
"ビジネスとテクノロジーの融合、成功への鍵。"
これらのキャッチコピーは、"できるビジネス"シリーズのコアメッセージであるビジネスとITの統合を強調し、実践的な知識とスキルを提供することを表現しています。商品やサービスの詳細に合わせて調整し、ターゲットオーディエンスに響くものにカスタマイズしてください。

回答がより具体的になりました。ChatGPTが答えているように、これらのコピーをベースとしてアレンジを加えれば、より人の心に響くコピーを作ることができるでしょう。アイデアのベースとして、ChatGPTを使う例として参考になればと思います。

SECTION 22

パワポの資料作成までサポート

会議に必要なアジェンダを作ってもらう

使用AI ChatGPT、ChatGPT Plus

推しポイント 会議前にアジェンダ作成し、パワポに落とし込むという作業を求められることも多いでしょう。そういった作業もChatGPTは得意。会議資料の作成をサポートしてもらいましょう。

どういう会議なのか教える

いきなりアジェンダの作成依頼をするのではなく、どういう会議で必要な資料なのかを伝えたほうがいいでしょう。会議の内容が把握できれば、ChatGPTはわりと高確率でアジェンダを考えてくれます。

プロンプト入力例

クラウドファンディングにおけるSNSの活用に関する外部パートナーとの会議向けの資料を作りたいです。パートナーとの会議なので簡潔な内容で大丈夫です

応答例

クラウドファンディングにおけるSNSの活用に関する外部パートナーとの会議向けの資料を作成する場合、以下のポイントを取り入れることをおすすめします。

1. **イントロダクション**:
   - クラウドファンディングの概要
   - SNSの重要性とその影響力
2. **SNSの役割と戦略**:
   - ターゲットオーディエンスの特定
   - 適切なSNSプラットフォームの選択（例：Facebook, Twitter, Instagramなど）
   - コンテンツの種類と配信戦略（画像、ビデオ、ストーリーテリング）
3. **成功事例の紹介**:
   - 効果的なSNS活用による成功事例
   - ケーススタディとしての分析
4. **提携の利点**:
   - お互いの強みを活かしたシナジー効果

- 長期的な関係構築に向けた協力の意義
5. ★★質疑応答/ディスカッション★★:
    - 質問や疑問への対応
    - 今後の協力に向けたアイデアや提案
――省略――

パワポに展開する

アジェンダが整理されたら、パワポに展開するためにテキストを調整してもらいます。

プロンプト入力例（続き）

このアジェンダをパワポに貼り付けたいので、テキストを最適化できますか？

応答例

もちろんです。パワーポイントに最適化した形で、上記のアジェンダを簡潔にまとめます。

★★**スライド 1: タイトルスライド**★★
- タイトル： クラウドファンディングにおけるSNS活用戦略
- サブタイトル： 外部パートナー会議
★★**スライド 2: イントロダクション**★★
- クラウドファンディングの概要
- SNSの重要性
★★**スライド 3: SNSの役割と戦略**★★
- ターゲットオーディエンスの特定
- 選択すべきSNSプラットフォーム
- コンテンツ戦略
★★**スライド 4: 成功事例**★★
- 効果的なSNS活用事例
- ケーススタディ分析
★★**スライド 5: 提携の利点**★★
- 相乗効果
- 長期的な関係構築
★★**スライド 6: 質疑応答/ディスカッション**★★
- 参加者の疑問への対応
- アイデア共有
★★**スライド 7: まとめと次のステップ**★★
- 重要ポイントのまとめ
- アクションプランとタイムライン
――省略――

これらを1枚ずつスライドに貼り付ければ、骨格は完成。あとは調整次第です。

SECTION 23

そもそもどんな要件を盛り込んだらいい？

まったく白紙の状態から 契約書や規約の原案作成をしてもらう

使用AI　ChatGPT、ChatGPT Plus

推し ポイント　Web上にお手本があるものほど、ChatGPTは適切な回答をしてくれるとお話してきましたが、その意味で力を発揮するのが契約書や規約です。適切な要件を満たした原案をサクッと生成できます。

契約書や規約の要件とは

契約書や規約は、その文書にふさわしい要件を満たす必要がありますが、そもそも何が要件にあたるのかわからないことが多いでしょう。そんなときは、ChatGPTにどのような契約書や企画を作りたいのかを伝え、大枠のアウトラインを作成してみましょう。

プロンプト入力例

社員のSNS利用の規約を整備しています。どういう文書を作ればいいでしょう？

応答例

社員のSNS利用に関する規約を整備する際には、以下のような要素を含める文書を作成することが重要です：

1. **目的と範囲**: 社員のSNS利用に関する規約の目的と適用範囲を明確にします。これには、規約が適用されるSNSの種類や状況を含めることが重要です。
2. **行動規範**: 社員がSNSで遵守すべき行動規範を定めます。これには、プライバシーの尊重、誹謗中傷の禁止、企業の秘密情報の共有禁止などが含まれます。
3. **企業のイメージ保護**: 社員が企業のイメージに影響を与えるような投稿を行う場合のガイドラインを設定します。これには、企業のロゴや商標の使用に関する規則も含めることができます。
4. **違反時の対応**: 規約違反が発生した場合の対応方法や、懲戒処分等の可能性について説明します。
5. **法的責任と免責事項**: SNS利用における法的責任と、企業としての免責事項を明確にします。
6. **教育と啓蒙**: 社員がSNSを安全かつ責任を持って使用するための教育や啓蒙

活動に関する情報を提供します。
7． **更新と改定**： SNSの環境が変わることに対応し、規約を定期的に更新することの重要性を明記します。

これらの要素を文書にまとめ、**適切なフォーマット（見出し、番号付け、セクション分けなど）で整理することが有効です。**また、法的な側面が関わるため、専門家や法務部門との相談を行うことも推奨されます。

内容を理解した上でフォーマットを確認

「社員のSNS利用規約」について、どのような要素を含めればよいのか、アウトラインを把握することができました。次はChatGPTが答えているように、フォーマットを整理してもらいましょう。

プロンプト入力例（続き）

適切なフォーマットについても教えてください

応答例

適切なフォーマットで社員のSNS利用規約を整備する際は、以下の構成を参考にすると良いでしょう：

1. タイトルページ
- 文書のタイトル（例：「社員のためのSNS利用ガイドライン」）
- 発行日や改定日
- 企業名やロゴ
2. 目次
- 文書の各セクションへのクイックリンクやページ番号
3. 序章
- 規約の目的と範囲の説明
- SNS利用規約の重要性についての簡潔な説明
4. 行動規範
- 社員がSNSで遵守すべき基本的な行動規範
- プライバシー保護、誹謗中傷の禁止、情報の正確性の確保など
5. 企業イメージの保護
- 企業のイメージやブランドに関わる投稿のガイドライン
- ロゴや商標の使用に関する規則
6. 法的責任と免責事項
- 法的責任に関する説明
- 免責事項の詳細
7. 違反時の対応

- 規約違反の場合の対応手順
- 懲戒処分の可能性についての説明

8. 教育と啓蒙
- SNSの安全な使用に関する教育プログラム
- 定期的なトレーニングやセミナーの案内

9. 更新と改定
- 規約の定期的な見直しと更新プロセス

10. 問い合わせ先
- 質問や懸念に関する問い合わせ先

11. 署名欄（任意）
- 社員が規約を読み、理解したことを確認するための署名欄

12. 参考文献やリンク（任意）
- 関連する法律、ガイドライン、外部リソースへのリンク

このフォーマットは、文書が整理され、読みやすく、重要な情報がアクセスしやすいように設計されています。また、適宜、図表や強調ポイントを使用して視覚的にわかりやすくすることも有効です。**文書の作成にあたっては、法的な観点からも法務部門や専門家と相談することを忘れないでください。**

原案ができたら肉付けし、必ず専門家のチェックを

これまでの回答で、社員のSNS利用規約の原案があっさりと作成できました。また、何を書くべきなのかも明確になりました。基本的には**この順番で内容を肉付けしていけば、規則文書のほとんどを作成することができる**でしょう。

ただし、ChatGPTが答えているように、必ず、法律の専門家や法務部門などに相談しながら作成しましょう。この原案からさらに質問を重ねて、規約文書の内容をChatGPTに書いてもらうこともできますが、間違ったことを回答する可能性もあります。今回のような文書は、法律に関わるシビアな内容を求めているので、すべてをChatGPTで作成することはおすすめできません。

あくまでも、原案作成程度にとどめておき、あとは専門家の助言のもとに、自身で作成するほうが安全です。

HINT

移行の作業はWordファイルに変換して行う

有料版のChatGPT Plusの場合、原案ができあがれば、そこからそのままWordファイルを生成することができます。会話を続けて、「そのままWordファイルにしてください」などのプロンプトで大丈夫です。

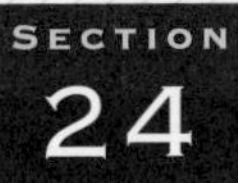

使い回せるテンプレが作れれば最高

まったく白紙の状態からプレスリリースを書いてもらう

使用AI ChatGPT、ChatGPT Plus

推しポイント Web上にお手本がたくさんあり、かつお約束とされている項目が実はたくさんあるのが、プレスリリース。これもChatGPTが得意な分野です。

プレスリリースに必要な項目の確認

プレスリリースで一番大事なことは、一次情報として事実に基づいた内容になっているかどうかです。また同時に、**ニュースとしてメディアに必要とされるかどうかの項目がきちんと整理されているかどうか**も重要。ChatGPTが一次情報を精査することは難しいため、まずは項目立てから作成するのが手っ取り早いでしょう。

プロンプト入力例

プレスリリースに必要な項目を確認したいです。お願いします

応答例

プレスリリースに含めるべき基本的な項目は以下の通りです：

1. **見出しとサブヘッド**: 読者の注意を引き、リリースの内容を簡潔に伝える魅力的な見出しを用意します。サブヘッドはオプションですが、追加情報を提供するのに役立ちます。
2. **日付と場所**: リリースの先頭に、リリースの日付とニュースが発生している場所を記載します。
3. **イントロダクション**: 最初の段落で、ニュースの要点（「5W1H」すなわち、誰が、何を、いつ、どこで、なぜ、どのように）を簡潔に伝えます。
4. **詳細な本文**: イントロダクションに続き、詳細な情報を提供します。これには背景情報、統計、引用、関連する詳細が含まれます。
5. **引用**: 会社の代表者や関連する専門家のコメントを含めることで、リリースに信頼性と深みを与えます。
6. **会社概要**: リリースの最後に、会社の簡潔な概要を提供します。これには会社の歴史、主な製品やサービス、企業の使命や目標などが含まれることがあります。

7. **連絡先情報**: メディアの問い合わせに対応するための連絡先情報（担当者名、電話番号、メールアドレスなど）を明記します。

これらの要素を含めることで、効果的で情報豊かなプレスリリースを作成できます。

プレスリリースのサンプルの作成

最初の回答から、リリースに何を書いたらよいかがわかりました。ここでいきなり具体的な内容に入らず、一度リリースの大枠だけをサンプルとして作っておくと、あとで使いまわしができるので、さまざまなリリース作成に転用できます。

プロンプト入力例（続き）

具体的な項目はあとで入れるので、枠だけ用意してもらって、クラウドファンディングを開始するプレスリリースのサンプルを作ってください

応答例

了解しました。クラウドファンディングの開始を告知するプレスリリースのサンプルの枠組みを以下に示します。具体的な内容は後で追加することができます。

[会社のロゴまたはヘッダーイメージ]

見出し: [クラウドファンディングプロジェクトの魅力的なタイトル]
サブヘッド: [プロジェクトの簡潔な説明や目玉情報]
[リリース日付]
[リリースの場所]
イントロダクション
- [プロジェクトの概要]
- [プロジェクトの目的や目標]
- [プロジェクトの開始日や期間]

本文
1. **プロジェクトの詳細:**
   - [プロジェクトの背景や動機]
   - [プロジェクトの特徴やユニークな点]
   - [期待される成果や影響]
2. **クラウドファンディングの詳細:**
   - [使用するクラウドファンディングプラットフォーム]
   - [資金調達の目標額]
   - [支援者へのリワードや特典]
3. **引用:**

    - [会社代表者やプロジェクトリーダーのコメント]
    - [関連する専門家や業界関係者のコメント]
会社概要
- [会社の簡単な歴史や概要]
- [主要な製品やサービス]
- [会社のビジョンやミッション]
連絡先情報
- [担当者名]
- [電話番号]
- [メールアドレス]
- [ウェブサイトURL]

[終わり]

サンプルの内容を肉付けすれば、リリースが完成する

最初の回答から得られた項目をベースに、リリースのアウトラインをサンプルとして作成してくれました。ChatGPTが示した「リリースの日付」「リリースの場所」といった項目を単純に埋めていくだけで、おおまかなリリース文が完成してしまいます。

このサンプルは例に挙げたクラウドファンディングだけでなく、自社商品やサービス、新規事業などのリリースにも使い回せるでしょう。

ただ、プレスリリースは、一次情報として事実に基づいた内容を書かなければニュースとしての価値がなくなることに注意しましょう。**ChatGPTに大枠のサンプルを作ってもらい、最後の肉付けは人間が行う**――――こういった役割分担で作成すると人間の作業負担も減り、重要なところにだけ注力できます。うまく役割分担することで、生成AIによって、大事なところに時間を割くことができるようになる使い方の好例と言えそうですね。

HINT

ほかにドキュメントがあれば、それもアップロードしてみよう

有料版のChatGPT Plusの場合、アップロードしたドキュメントを利用してリリース文を考えることもできます。過去に公開したリリース文であれば、何も秘密文書を読み込ませているわけではないので安心して使えます。あるいは、顧客向けに出しているような公開文書でも試す価値があります。
サンプルの各項目を埋める際に、流用できそうな資料があれば、アップロードした文書をもとに、各項目を埋めてもらうというのも1つの手です。

SECTION 25

プログラミングができなくてもアプリを作れる

Webブラウザで動くコードを書いてもらう(JavaScript)

使用AI ChatGPT、ChatGPT Plus

推しポイント プログラムまで生成してくれるのがChatGPTの利点です。もちろん万能ではありませんが、とりあえず動くものを生成してくれるというだけでも、プログラムができない人にとってはありがたいです。

Webブラウザで動くJavaScript

ここではサンプルとして、Webブラウザで動く計算機を作ってもらいました。プログラムの本体としては、JavaScriptのJSファイルとそれを表示するためのHTMLファイルが必要です。もちろん、どちらもサクッと作ってくれます。

プロンプト入力例

JavaScriptで、Webブラウザで動く電卓を作ってください

応答例

もちろん、ブラウザで動く簡単な電卓をJavaScriptで作成することができます。以下に基本的なHTMLとJavaScriptのコードを示します。このコードは、四則演算（加算、減算、乗算、除算）を行うことができる電卓の例です。

```
### HTML (index.html)
```html
<!DOCTYPE html>
<html>
<head>
    <title>Simple Calculator</title>
</head>
──省略──
### JavaScript (calculator.js)
```javascript
function appendToDisplay(value) {
    document.calculator.display.value += value;
```

```
}
```
――省略――
このコードは、簡単なユーザーインターフェースと基本的な計算機能を提供します。ユーザーはボタンをクリックして数値や演算子を入力し、`=` ボタンで結果を表示します。`C` ボタンは表示をクリアします。
――省略――

ファイルにするには？

プログラム実行のためにはファイル化する必要がありますが、ファイルを作成する機能は有料版のGTP-4のみなので、一般的には次のような答えが返ってきます。

プロンプト入力例（続き）

ダウンロードできるファイルにしてください

応答例

申し訳ありませんが、こちらのプラットフォームでは直接ファイルを提供することができません。代わりに、上記のコードをコピーして新しいテキストファイルに貼り付け、そのファイルを保存することができます。

以下は手順です：
1. **テキストエディタを開きます**（例：Notepad、Visual Studio Code、Sublime Textなど）。
2. **上記のコードをコピーしてエディタに貼り付けます。**
3. **ファイルを保存します。拡張子は`.html`とし、例えば`calculator.html`などと名前をつけます。**

保存が完了したら、そのファイルをWebブラウザで開くと、電卓が表示されるはずです。

無料のGPT-3.5を使っている場合は、ChatGPTの指示通り、生成されたソースコードをテキストエディタに貼り付け、HTML形式で保存すればOKです。あとはそれをダブルクリックしてWebブラウザで開くと、次のような電卓が使えるようになります。

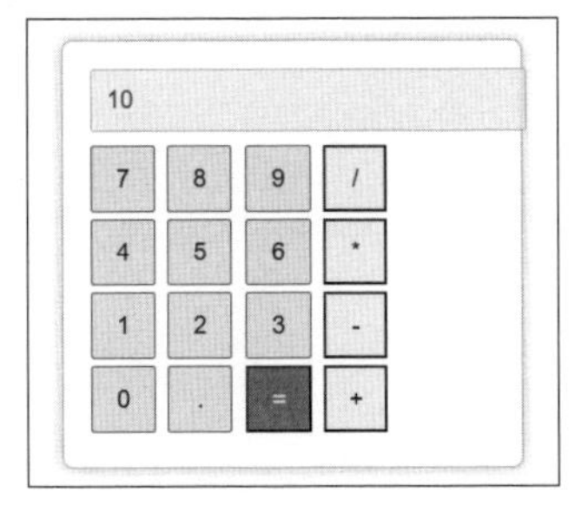

ChatGPTが生成したソースコードをテキストエディタに貼り付け、HTMLで保存します。そのファイルをダブルクリックすれば、Webブラウザ上で動作する電卓が完成します

SECTION 26

リサーチの時間を大幅に節約できる

Browse with Bingでサイトを要約してもらう

使用AI ChatGPT Plus

推しポイント 何かを調査する場合、たくさんのサイトを読む必要があります。そんなときはChatGPTにチェックするWebサイトを要約させましょう。全体をざっと把握できるため、相当な時短になります。

Webサイトの調査は2段階で

サイトの要約をしてもらうためには、URLを貼り付けるだけで大丈夫ですが、Webサイトの検索には有料版のChatGPT Plusに加入し、GPT-4を使う必要があるので注意してください（Browse with Bing＝検索エンジンBingで検索する機能があるため）。

手順としては、**一度要約してもらってから、さらに重要なページを探すという使い方**でいいでしょう。

プロンプト入力例

以下のサイトを要約してください
https://book.impress.co.jp/

今回は例として、この書籍の発行元であるインプレスのサイトをサンプルにしました

応答例

Impress Books(book.impress.co.jp) は、多岐にわたる本、雑誌、関連Webサービスを提供しています。カテゴリーには、パソコンソフト、モバイル、スマートフォン、ソーシャルネットワーキングサービス (SNS)、Web作成、マーケティング、ビジネス文献、カメラ・写真、資格試験、プログラミング、ネットワークテクノロジー、趣味や素材集、自作コンピューターと趣味の領域があります。さらに、ChatGPT APIとPythonによるAI実装、協力的で推奨される部署になる方法、Premiere Proの詳細ガイド、Excel Power Queryを使ったデータ自動化、量子コンピューターの理解、仕事でのChatGPTの効率的な使用など、注目の新刊やプロモーション情報を提供しています。また、「デジタルカメラマガジン」や「DOS/V POWER REPORT」などの雑誌も扱っています。

重要なページを探してもらう

要約してもらったら、重要なページを探してもらうこともできます。なお、ちゃんと重要なページへのリンクも添付してくれます。

プロンプト入力例（続き）

中でも重要と思われるページをピックアップしてください

応答例

Impress Booksのウェブサイトの中で特に注目すべきページは以下の通りです：

1. **お知らせセクション**：現在開催中のイベントやキャンペーンに関する最新情報が掲載されています。例えば、「担当おすすめ！編集部イチ推し本フェア 2023年12月」や「ネット広告クリエイティブ"打ち手"大全」の無料公開&電子版割引キャンペーンなどです。
2. **おすすめの新刊**：最新の注目書籍が紹介されており、ChatGPT APIとPythonを用いた対話型AI実装入門や「推される部署」になるためのビジネス書などがピックアップされています。
3. **書籍案内セクション**：さまざまなカテゴリーの書籍が紹介されています。これにはパソコンソフト、モバイル・スマートフォン・SNS、Web作成・マーケティング、ビジネス・読み物、カメラ・写真などが含まれます。
――省略――

こうして先の要約と合わせ、ChatGPTに洗い出してもらった重要なページを拾い読みするだけで、効率よくそのサイトの概要や重要な情報のみを頭に入れることができます。大量のページをリサーチしなければならないときには、このやり方で次々にWebサイトの情報をまとめていけば、相当な時短になります。

SECTION 27

再現の難しい頭の中のイメージを画像化

DALL-E 3でプレゼンに使う画像を生成する

使用AI ChatGPT Plus

推しポイント プレゼン資料の作成では視覚的にイメージを伝える工夫が必要です。通常、写真や図がよく利用されますが、画像生成を使うと再現の難しい「頭の中のイメージ」を画像化できる点が非常に便利です。

写真を使う場合の問題点を回避できる

プレゼンテーションのイメージでは、図のほかに写真が多く使われてきました。ただ、写真にはちょっとした問題点があります。まず、そうそう都合のいいものが撮影できるわけではないということ。もう1点は、ストックフォトなどを使うにしても、そもそもいいものを探すのに苦労することが多い。その結果、**なぜかみんな同じような写真を使いがちになる**わけです。この問題を回避し、**再現が難しい「頭の中のイメージ」を画像化してくれるのが、有料版ChatGPT Plusで利用できるDALL-E 3**です。

プロンプト入力例（続き）

学生向けに社会人のキャリアについてプレゼンすることになりました。そのプレゼンの表紙で使うイラストを作成してください。相手は日本人の大学生です

応答例

こちらが、日本の大学生を対象としたキャリアに関するプレゼンテーションの表紙に適したイラストです。このイラストは、さまざまな職業（ビジネスパーソン、科学者、教師、アーティストなど）を象徴する、プロフェッショナルな装いの若い大人たちが自信を持って立っている様子を描いています。背景にはオフィス、研究所、教室、アートスタジオなど、さまざまな職場がコラージュされており、インスピレーションを与えるモチベーショナルな雰囲気を演出しています。

頭の中のイメージを想像以上のクオリティで画像化

「学生向けに社会人のキャリア」をイメージさせるような、といった指示からあっという間にクオリティの高い画像が生成されました。若者がさまざまな職業を目指し、前向きにキャリアを捉えているようなイメージですね。

これはプレゼンの表紙としてはバッチリな出来です。ほかにも、プレゼン資料の中で使えそうなイメージ画像を作ってもらいましょう。

プロンプト入力例（続き）

その感じでいいので、表紙以外にも資料で使える画像をお願いします

応答例

こちらが、日本の大学生を対象としたプレゼンテーション用のもう1つのイラストです。このイラストは、学生からプロフェッショナルなキャリアへの移行を表しており、卒業式の帽子とガウンを着た学生から始まり、勉強、インターンシップ、就職面接を経て、最終的に選んだ分野での成功したプロフェッショナルになるまでのタイムラインを描いています。それぞれの段階が視覚的に異なり、学生がキャリアを築く過程で直面する進歩と挑戦を表現しています。

HINT

プレゼンテーションで使う画像はほどほどの感じで

プレゼンテーションで使う画像は、表紙などのメイン画像でもない限りは、あくまでも内容を補助するものです。時間をかけて作り込むことを予防する意味でも、DALL-E　3は便利な存在です。

SECTION 28

リサーチの時間を大幅に節約できる

手書きのラフを読み込ませてHTMLを生成してもらう

使用AI ChatGPT Plus

推しポイント ChatGPTが大きな注目を集めた機能に、手書きの画像を元にHTMLで表示できるソースコードを作成した使用例が挙げられます。言葉で指示しにくい場合、手書きのラフで解決できるのです。

専門家でなくてもHTMLを生成できる

「そんなことまでできるのか!?」と驚くようなChatGPTの能力の1つとして、ラフスケッチからHTMLを生成できる機能が挙げられます。画像を添付できるのは、有料版ChatGPT Plusに加入し、GPT-4を使う必要がありますが、百聞は一見にしかずということで、簡単なラフを用意して、実際にやってみましょう。

プロンプト入力例

このラフからhtmlを生成してください

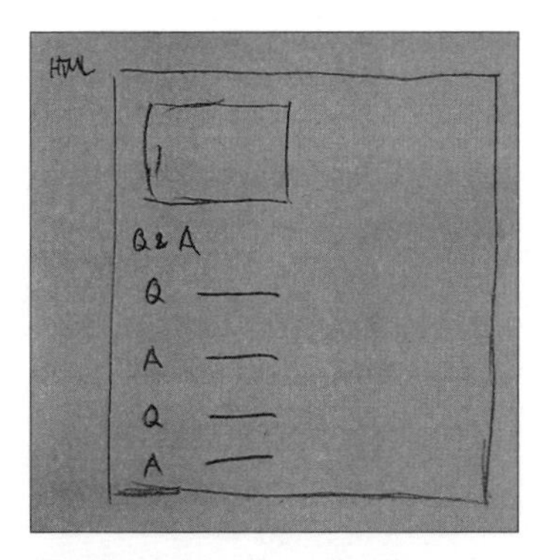

手書きのラフを画像ファイルで用意し、GPT-4に添付して、質問します

応答例

画像に描かれているのはウェブページのラフスケッチです。このスケッチには、ページの上部に大きなヘッダーセクションがあり、その下に「Q&A」セクションが続いています。このセクションには複数の質問（Q）と回答（A）がリスト形式で配置されています。

このスケッチに基づいてHTMLを生成するには、以下のような構造を使用します。

````
```html
<!DOCTYPE html>
<html lang="en">
<head>
<meta charset="UTF-8">
<meta name="viewport" content="width=device-width, initial-
scale=1.0">
<title>Q&A Page</title>
<style>
/* ここにスタイルを追加 */
</style>
</head>
<body>
````

――省略――

`&lt;header&gt;` タグはヘッダーセクションに、`&lt;section&gt;` タグはQ&Aセクションに使用されます。各質問（Q）は`&lt;dt&gt;`（定義ターム）タグで、それに対応する回答（A）は`&lt;dd&gt;`（定義の説明）タグでマークアップされます。これにより、質問と回答が明確に関連づけられます。

必要に応じてCSSを`&lt;style&gt;`タグ内に追加し、デザインを調整してください。

単にHTML化するだけではない

ChatGPTの説明を読めばわかりますが、HTML化する際にセクションの整理をしています。さらにQ&Aセクションではタグの指定も行った上に、今後Q&Aをするときのためのコメントまで、丁寧に入れてくれています。さらにデザイン調整のアドバイスもしてくれました。どうせなら、CSSによるデザインの調整方法も聞いてしまいましょう。

プロンプト入力例（続き）

黒バックのCSSもお願いします

応答例

もちろんです。黒背景に対応するCSSは以下の通りです。このCSSは、ボディ全体に黒の背景色を設定し、テキストの色を白または明るい色に設定することで読みやすくします。また、質問と回答をより見やすくするために適切なスペーシングも追加されています。

````
```css
body {
````

```
  background-color: #000; /* 背景を黒に設定 */
  color: #fff; /* テキストを白に設定 */
  font-family: Arial, sans-serif; /* フォントスタイルを指定 */
}
```

——省略——

このスタイルをHTMLファイルの`<head>`セクション内の`<style>`タグに追加することで、ラフスケッチに基づいたデザインを実現できます。また、フォントスタイルやその他のスタイリングはプロジェクトの要件に応じて調整してください。

生成されたHTMLとCSSを組み合わせた結果

1つ目の回答から得られたHTMLのstyleタグ内に、2つ目の回答から得られたCSSをコピー&ペーストして組み合わせた結果、次の画像のようなHTMLファイルが完成しました。質問を重ねることで、フォントやスタイルなども調整できます。

生成されたHTMLとCSSを組み合わせて作成したファイルを、Webブラウザで開いた結果です

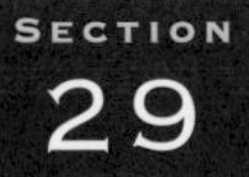

Excelにはできないことをさせる

CSVファイルをデータ分析して、パワポの資料を作成する

使用AI ChatGPT Plus

推しポイント CSVファイルで取得した数値データをもとに何かを作りたい場合、ChatGPTを使うとExcelにはできないことも実現できます。例えば、CSVからパワポの資料を作成できたら便利ですよね。

ツイートアクティビティを分析してみよう

今回はX(旧Twitter)のツイートアクティビティを分析してみましょう。Xのアクティビティは、「Twitterアナリティクス」(https://analytics.twitter.com/) で確認でき、分析結果を見るだけではなく、データをCSVでエクスポートすることができます。

「Twitterアナリティクス」の［データをエクスポート］→［By day］でCSVファイルを出力します

CSVファイルをダウンロードしたら、ChatGPTにアップロードしてプロンプトを入力します。なお、ファイルを処理するには有料版のChatGPT Plusを使う必要があります。

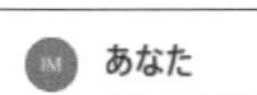

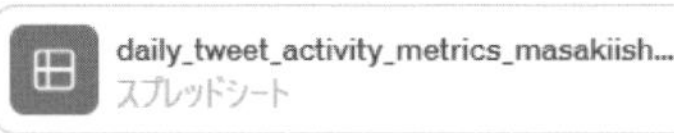

ツイートアクティビティの分析と500文字程度のまとめをお願いします

応答例

ツイートアクティビティデータには、ツイートの詳細（ツイートID、リンク、本文、投稿時間）やエンゲージメントに関する情報（インプレッション、エンゲージメント数、エンゲージメント率、リツイート、返信、いいねなど）が含まれています。

──省略──
1. **基本統計**:
  - 平均インプレッション数: 約1288
  - 平均エンゲージメント数: 約18
  - 平均エンゲージメント率: 約1.9%
  - 平均リツイート数: 約0.9
  - 平均返信数: 約0.3
  - 平均「いいね」数: 約2.5
2. **パフォーマンスの高いツイート**:
  - **最もインプレッションが高いツイート**: ChatGPTに関するツイートが17,725のインプレッションを獲得。
  - **最もエンゲージメントが高いツイート**: 同じくChatGPTに関するツイートで445のエンゲージメント。
  - **最もリツイートされたツイート**: 「ViXion01を体験した風間 俊介さんが...」というツイートが14回リツイート。
  - **最も「いいね」されたツイート**: 同じくViXion01に関するツイートが42回「いいね」された。
3. **観察と分析**:
  - 特定のトピック(ChatGPTやViXion01に関するツイート)が顕著に高いエンゲージメントを示しています。
  - 平均的には、ツイートは比較的低いエンゲージメント率を持っていますが、一部のツイートは非常に高い反響を得ています。
  - 「いいね」とリツイートの数は、エンゲージメントの主要な形態であることが分かります。返信の数は比較的少ないです。
──省略──

この分析から、特定のトピックやイベントに対するユーザーの関心が高いこと、また一部のツイートは特に大きな反響を呼んでいることがわかります。これらの分析結果をもとに、スライドの構成を考えてもらいましょう。

プロンプト入力例

この結果をパワポにまとめてください

応答例

パワーポイントのプレゼンテーションに結果をまとめる場合、以下のスライド構成を提案します。これらのスライドには、データと分析の要点が簡潔にまとめられています。
1. **タイトルスライド**:
  - タイトル:「ツイートアクティビティ分析レポート」
  - サブタイトル: 分析期間:2023年10月31日 - 2023年11月28日
  - 作成者名(オプション)
2. **概要スライド**:

- 概要： このプレゼンテーションでは、特定期間のツイートアクティビティの分析結果を紹介します。
3. **基本統計スライド**:
- 平均インプレッション数: 1288
- 平均エンゲージメント数: 18
- 平均エンゲージメント率: 1.9%
- 平均リツイート数: 0.9
- 平均返信数: 0.3
- 平均「いいね」数: 2.5
4. **パフォーマンスの高いツイートスライド**:
- 最もインプレッションが高いツイート: ChatGPTに関するツイート (インプレッション数: 17,725)
- 最もエンゲージメントが高いツイート: ChatGPTに関するツイート (エンゲージメント数: 445)
- 最もリツイートされたツイート: 「ViXion01を体験した風間 俊介さんが...」(リツイート数: 14)
- 最も「いいね」されたツイート: ViXion01に関するツイート (「いいね」数: 42)
5. **分析と推論スライド**:
- 特定のトピック (ChatGPTやViXion01) が非常に高いエンゲージメントを得ている。
- 平均的にはエンゲージメント率が低いが、一部のツイートは特に大きな反響を得ている。
- 「いいね」とリツイートはエンゲージメントの主要な形態であり、返信数は比較的少ない。
6. **結論と提案スライド**:
- 特定のトピックやイベントに対するユーザーの関心を反映している。
- 今後のツイート戦略は、高いエンゲージメントを得たツイートのスタイルや内容を参考にすると良い。
- 定期的な分析でトレンドを把握し、効果的なコミュニケーション戦略を策定することが重要。
——省略——

これら6つの構成をコピペすれば、パワポ資料の大枠は完成です。必要に応じて、グラフやチャートを補えば、スライドの作成もかなり時短になるでしょう。

HINT

プレゼン資料の作成方法はたくさんある

ここでは一番確実なテキストの作成という例にしましたが、ChatGPTでパワポのスライドを作成するにはほかにもいろいろな方法があります。時間がかかったり、エラーが出たりする場合もありますが、ChatGPTで直接パワポのファイルを生成する方法、VBAを使う方法、「Smart Slides」などのプラグインを使う方法などがあります。

SECTION 30

写真からおすすめの情報を引き出す

写真に写っているものを調べてアイデアを提案してもらう

使用AI ChatGPT Plus

推しポイント ChatGPT Plusを使うと画像を添付して、その内容を調べてもらえます。さらに調べてもらった内容から、おすすめの情報やアイデアを提案してもらうのが使い道としてはとても便利です。

画像ならどんなものでも答えてくれる

ChatGPTに画像をアップロードして「これは何？」と聞くだけの作業なのですが、驚くほど詳細な分析結果が得られます。まずは、試してみましょう。

プロンプト入力例

これは何か教えて

HINT

テキスト情報も読み取ってくれる

左は、ワインのボトルですが、ChatGPTはラベルに書かれた英語（その他の言語）の情報も読み取り、日本語でその情報について教えてくれます。外国産のお土産をもらったときなど、言葉や文化的背景がわからなくても、この機能を使えば、写真だけでそれがどのような特徴を持つのか把握できます。

応答例

写真には、ロバートソンワイナリーのシャルドネ2022年と記されたワインボトルが写っています。ラベルには、1941年に設立されたことが示されており、ロゴは青と金色でデザインされています。ボトルの中のワインは少し消費されているように見えます。

残念ながらボトルの中身は空ですが、ワインの残量まで読み取ろうと試みているのは芸が細かいですね。銘柄、年代、ワイナリー名、ラベルのデザインにいたるまで細かく説明してくれました。

得られた情報を元にアイデアを出してもらおう

次はこの情報を元に、ChatGPTにアイデアを提案してもらいましょう。

プロンプト入力例

このワインに合うおすすめ料理を教えて。ちなみにこのときはジンギスカンを食べていました

応答例

シャルドネは非常に多様なワインで、さまざまな料理と合わせやすいとされています。ジンギスカンのような羊肉は濃厚で、強い味わいがあるので、それに合わせるシャルドネは、しっかりとした味わいで、果実味が豊かでオークの影響を受けたものが良いでしょう。**シャルドネのクリーミーでバターのような質感やバニラの香りは、羊肉の強い風味を和らげることができます。**

他にもシャルドネに合う料理としては以下のようなものがあります：
- **ローストチキンやターキー**：鶏肉のジューシーさと、シャルドネの豊かな味わいが良く合います。
- **クリームベースのパスタ**：シャルドネのバタリーなテクスチャーとクリームソースは絶妙なマッチングを見せます。
- **グリルしたシーフード**：特にバターやレモンを使った料理とシャルドネは相性が良いです。
- **ハードチーズ**：エイジングしたチェダーやゴーダなど、味わい深いハードチーズとのペアリングもおすすめです。

ジンギスカンのような肉料理を食べる際には、シャルドネを少し冷やしてから提供すると、肉の脂とのバランスが取れ、食事をより一層楽しむことができるでしょう。

素晴らしい回答です。シャルドネは羊肉の強い風味を和らげる効果があるため、味のバランスを取るには、果実見が豊かで、かつオークの影響、つまり樽香のあるものを選ぶと相性がよいとのこと。さらに、シャルドネはあらかじめ冷やしておくほうがよい、といったことがわかりました。これだけでもかなり参考になる情報です。

また、ほかにもシャルドネに合う料理のリストも提示してくれました。あらかじめネット通販で購入したワインのラベルを読み込ませておき、おすすめの飲み方や合う料理を提案してもらえば、週末のディナーを楽しむための準備がしやすくなりそうです。

ほかにも、日本酒やウィスキーなどの酒類でも同様の効果がありますし、多様な産地や銘柄のあるコーヒーや日本茶、紅茶などのラベルを読ませてみるのもよいでしょう。

COLUMN

すでにChatGPTは仕事をする上で必須の存在

●ちょっと面倒くさいが怖くなくなった

ChatGPTを日常的に使うようになって、筆者（いしたに）の中でいちばん変化が大きかったのは、「ちょっと面倒くさい」と感じる作業に対する気持ちの変化です。以前は、後回しにしたり、結局ギリギリまでやらない、もしくはやることを諦めるようなことを、「とりあえずChatGPTに投げてみよう」と思うようになったことで、作業を中断しなくなったことですね。それは例えば、以下のようなことです。

・翻訳
・下調べ
・下読み
・文字列の処理
・CSVファイルの処理
・画像作成

●何度もやること、他人にやらせたいことはGPTsに昇格

また、自分が日々ChatGPTを使うだけでは終わらないのが、ChatGPTが他のAIツール以上の存在となっている部分です。下図で紹介しているのは、たぶん世界で私しか喜ばないような文字列の処理を定型化したGPTsです。でも、これが自作できる！

そして、GPTsにしておけば、いつでも同じような処理ができますし、公開したGPTsであれば他の人にお願いすることもできてしまうのです。

第3章

QOLを上げる！
生活に役立つ
ChatGPT活用例

SECTION 31

1人で考えても、検索しても意外と難しい

新しい趣味を提案してもらう

使用AI ChatGPT、ChatGPT Plus

推しポイント 新しい趣味をAIに提案してもらい、始め方もサポートしてもらいましょう。今までやったことのないことにチャレンジすれば、新たな自分の可能性を見つけられるかもしれません。

自分がやったことのない趣味を提案してもらう

世の中には数限りなく趣味の対象があります。きっと自分が知らないものもたくさんあることでしょう。どんな趣味があるのかChatGPTに聞いてみましょう。

プロンプト入力例

これまで映画鑑賞やグルメを楽しんできましたが、新しい趣味にチャレンジしたいです。おすすめを10個、理由とともに挙げてください

応答例

新しい趣味を見つけるのは素晴らしい冒険ですね！ 以下は様々な興味深い趣味の提案です。

1. アートと絵画：
理由： 創造的な表現やリラックス効果があり、自分のアイディアを形にできます。絵を描くことはストレスの軽減にもなります。
2. 音楽制作：
理由： 音楽の創造的なプロセスに没頭することで、新しい才能を発見できます。ソフトウェアを使用して簡単に始められ、自分の作品を作り上げる喜びを味わえます。
3. 料理とパティシエリ：
理由： 新しいレシピや料理技術を学び、美味しい料理を作る喜びを体験できます。食べることはもちろん、創造的なプロセスも楽しいです。
――省略――

これまで自分が試した趣味について伝えることで、これまで取り組んだことのない新たな分野を提案してもらうことが可能です。限りなくおすすめを挙げてくれるので、興味を惹かれるものが見つかるのではないでしょうか。

新たな趣味に必要な情報を教えてもらう

新たな趣味の候補が見つかったら、もう少し詳しく内容を教えてもらいましょう。

プロンプト入力例（続き）

音楽制作を始める方法と予算を教えてください

応答例

音楽制作を始めるためには、基本的な機材とソフトウェアが必要です。以下に、初めての音楽制作のための基本的な手順と予算に関するアドバイスをいくつか挙げてみます。

1．基本的な機材：

・コンピューター： 既存のパソコンがあれば、それを使用することもできます。ただし、音楽制作に適したスペック（RAM、プロセッサー速度）が必要です。

・オーディオインターフェース： 初めての方には、2入力2出力のオーディオインターフェースがおすすめです。フォーカスライトやプリソナスなどのブランドから手頃な価格帯のものがあります。

――省略――

2．DAW(Digital Audio Workstation)：

・無料のDAW： 初心者におすすめの無料のDAWには「Ardour」や「LMMS」があります。これらは多くの基本的な機能を提供しています。

――省略――

5．オンラインリソース：

YouTubeチュートリアル： 音楽制作に関する多くの無料チュートリアルがYouTubeにアップロードされています。基本的なテクニックから高度な制作手法まで学べます。

――省略――

初めての音楽制作は手頃な予算で始めることができます。重要なのは、少ない機材からでも創造的に活動することができ、徐々に機材を追加・アップグレードしていくことです。楽しんで制作に取り組んでください！

具体的に必要な機材を挙げてもらえました。無料のソフトやチュートリアルもあるので、手軽に始めてみることができそうですね。趣味を始めたあとでも、困ったことがあればそのたびに質問して相談に乗ってもらうことができるので安心です。

ワンポイント 条件を伝えて提案してもらうこともできる

使える時間や予算、目的など、具体的なイメージを伝えることで、あなたにぴったりの趣味を提案してもらうこともできます。例えば物を買わなくてもできる、週末に集中して取り組めるなどの希望を伝えることで具体的な案を提示してもらえます。

SECTION 32

アカウント名やニックネームを考えるときにも便利

ペットの名前を考えてもらう

使用AI ChatGPT、ChatGPT Plus

推しポイント ペットの名前を何にするかは大変難しい問題です。いったん付けてしまったら、おいそれとやり直すわけにはいきません。AIの手を借りて後悔のない名前を選びましょう。

特徴や由来を織り込んだ名前の案を出してもらう

ペットの名前の付け方にはいろいろあります。まずはペットの特徴も合わせて入力し、合う名前を出してもらいましょう。

プロンプト入力例

猫を飼いました。名前を考えてください。白黒の柄の雌猫です

応答例

素敵ですね！　白黒の柄の雌猫にぴったりの名前をいくつか提案しますね。

1．モノクロちゃん
2．ピアノ
3．パンダ
4．ゾーライト（黒と白の鉱石から）
5．チェス
6．モチ（白黒もちもちした感じから）
7．マリィ（モノクロームから）

どうでしょうか？　気に入る名前があれば、ぜひ使ってみてください！

自分ではなかなか思い付かないような、個性的な提案が出てきました。色や模様などのほかにも、生まれた場所や季節、「幸せに育ってほしい」などの願いを伝えれば、それぞれの内容を織り込んだ名前を提案してもらうことができます。

提案の中から絞り込む

提案の中から自分で選べないときは、条件を伝えて絞り込みを行ってみましょう。

プロンプト入力例（続き）

この中で、幸せになりそうな名前とその理由を教えてください

応答例

幸せは主観的なものですが、愛情と温かさを感じさせる名前を考えると、以下の候補が挙げられます。

1．モノクロちゃん：

・理由： 白黒の柄を指す「モノクロ」が含まれており、かわいらしさと猫の特徴が表現されています。単純で覚えやすい名前なので、猫ちゃんとのコミュニケーションがしやすいかもしれません。

2．チェス：

・理由： チェスは白と黒の駒で戦うボードゲームであり、白と黒が対照的に並んでいます。この名前は知的で遊び心があり、猫ちゃんが賢く、かつ楽しい存在であることを示唆しています。

――省略――

理由を教えてもらうことで、選びやすくなります。

アレンジしてもらう

理想の名前までもう少し！　というときは、アレンジした案を出してもらいましょう。

プロンプト入力例（続き）

モノクロとチェスの名前の２つを合体して、３文字の名前にアレンジしてください

応答例

素敵なアイデアですね！「モノクロ」と「チェス」を合体させ、短く呼びやすい名前にアレンジした提案をいくつか挙げますね：

1．チェモ　2．クロボ　3．チェリ　4．モチェ
5．モネス　6．クロモン　7．チェクロ　8．ノチェス

AIの力を借りると、オリジナリティあふれる名前を見つけることができるでしょう。新しい家族にふさわしい、愛情のこもった名前を付けてあげてください。

ワンポイント　アカウント名を付けるときにも使える

ペットの名前だけでなく、ネットサービスのアカウント名やニックネームを付けるときにも役立ちます。本名にいろいろな要素を付け加えて新たな名前を提案してもらったり、「クールな感じ」などのイメージを伝えてアレンジしてもらうのもよいでしょう。

SECTION
33

苦情、上司へのお礼など、書きにくい文章作成に便利

文章を丁寧な表現にリライトしてもらう

使用AI ChatGPT、ChatGPT Plus

推しポイント かしこまった文章が求められるシーンは多々ありますが、慣れない言葉遣いで書くのは難しく、正確かどうか判断もできません。普段の言葉遣いで書いた文章をAIにリライトしてもらいましょう。

単なる文句をきちんとした苦情に書き直してもらう

店で不当な扱いを受けたり、買ったものが見本と違っていたりした場合は泣き寝入りしたくはないですよね。でも怒りの気持ちをそのまま文章にするとクレーマーと思われてしまうかもしれません。冷静な気持ちできちんとした苦情を書くのは難しいものです。でも大丈夫。心のおもむくままに文句をぶちまけて、AIにリライトしてもらいましょう。

プロンプト入力例

店舗に苦情のメールを送るのでリライトして。
今日お宅の店でたい焼きを買ったんだけど、あんこがほとんど入ってなかったんだけど？　ありえない。返金してほしい！　なんとかして！　まじがっかり!!!

応答例

Subject: たい焼き購入に関するご不満について

いつもお世話になっております。私は本日、貴店でたい焼きを購入させていただきました。しかしながら、非常に残念なことに、たい焼きの中にほとんどあんこが入っていない状態でした。このような状況には驚きと失望を感じており、お願いしたいことがあります。

ご購入された商品に不満を抱くことは、私たち顧客にとって楽しい食体験を台無しにするものです。おそらくこれは誤りやミスの可能性があるかと考えますが、今回の件について誠実な対応をお願い申し上げます。

可能であれば、購入金額の返金をいただきたいと考えております。今後も貴店の商品を信頼し、楽しいひと時を過ごしたいと思っておりますので、どうかご検討いただければと願っております。

お手数をおかけしますが、ご返信いただけますと幸いです。

どうぞよろしくお願いいたします。

単なる文句が対応を求める冷静な苦情になりました。これならクレーマー扱いをされることもないでしょう。

目上の人に失礼がない文章にしてもらう

ほかに丁寧な文章が求められるシーンとして、目上の人への対応があります。友だちに話すようにフランクな文体で書いてから、失礼のない文章に整えてもらいましょう。

プロンプト入力例

次の文を目上の人に送る丁寧な文章に書き直して。
お祝いのプレゼントありがとう。突然なのでびっくりしたけどすごくうれしかった！　からすみ好きだったの覚えててくれたの感激。ちょうど友だちが来てたのでいっしょに食べた。おいしかった。友だちも喜んでた。なかなか会えないけど今度会ったらちゃんとお礼するね

応答例

お祝いのプレゼント、誠にありがとうございます。突然の贈り物に驚きとともに、心より嬉しく思っております。からすみ好きであることを覚えていてくださり、本当に感激しております。

贈られたからすみは、ちょうど友だちが訪れていたタイミングで、一緒に楽しませていただきました。美味しさに感激し、友達も喜んでくれて、素敵な時間を過ごすことができました。

お忙しい中、なかなかお会いできないかもしれませんが、次回お会いした際には、改めてお礼を申し上げたいと考えています。どうもありがとうございました。

普段書き慣れない文体で文章を書こうとすると、本来伝えたかった内容をうまく表すことができなくなってしまいがちです。AIを使えば礼を欠いたり誤解が生じたりしない文章にリライトしてくれるので、きちんと自分の気持ちを伝えながらも、不要なトラブルを避けることができます。

ワンポイント　目的や読み手が誰なのかを明確に

丁寧な文章といってもさまざまです。何のための文章なのか、誰が読むのかなどをプロンプトに書くことで、的確な文章が生成されます。生成された文章がいまいちだったら、どんどん別案を出してもらいましょう。気に入った部分をつなぎ合わせれば、理想的な文章が作れます。

SECTION 34

返信しにくいメールやSNSの文面を考えるときに便利

メールの返事を書いてもらう

使用AI ChatGPT、ChatGPT Plus

推しポイント メールの返信文をどう書くか悩んでいるうちに時間が経ってしまい、ますます返答しづらくなったことはありませんか？　メール内容の解読から返信までAIに手伝ってもらいましょう。

メールの主旨をまとめてもらう

メールを受信したときにまずやらなければならないのは、送られてきたメールが何を伝え、どんな返答を求めているかを理解することです。いったい何を伝えたいのかわからないような、まとまりのないメールが送られてくることもありますよね。まずはChatGPTにメール文の要点をまとめてもらいましょう。

プロンプト入力例

次のメールの要旨をまとめて
（メール文をそのまま貼り付けます）

応答例

このメールの要旨は次のとおりです：

- 田口さんが森嶋さんに送ったメールで、長らく連絡を取っていなかった友人からの挨拶です。
- 田口さんは5年前にタイに移住し、仕事をしており、充実した日々を過ごしています。
- 彼は最近、かつて勤めていた会社のニュースを見て、同僚たちのことを思い出し、再び交流したいと思っています。
- メールでは、みんなで食事をし、近況を共有し、楽しい時間を過ごす提案をしており、日本への訪問時に実現したいと述べています。
- 田口さんは、再び連絡を取り合えることを楽しみにしており、返信を待っています。

内容を簡潔にまとめてもらうことができました。どうやら返信を求められているようです。

返事を作成してもらう

次に、返事にはどんな内容を書くべきかを聞いてみます。

プロンプト入力例（続き）

このメールの返答を書く際に、私が決めるべきことはありますか

応答例

メールの返答を書く際に、以下のポイントに注意することが重要です：

1. **目的を明確にする：** 田口さんからのメールに対する返答の目的を明確にしましょう。友人との再会の提案や近況報告など、何を伝えたいのかを考えましょう。
2. **ポジティブなトーンを保つ：** 田口さんとの再会を楽しみにしていることや、長らく連絡を取っていなかったことをポジティブなトーンで表現しましょう。
3. **返答の日程や場所を検討する：** 田口さんが食事の提案をしていますので、具体的な日程や場所について検討し、提案を含めることが重要です。

――省略――

これらのポイントに気を付けながら、田口さんへのメール返答を作成することで、良いコミュニケーションが築けるでしょう。

わかりやすいメールを書くためのポイントを教えてくれました。書き方はさておき、決定すべき内容は日程や場所だけでよさそうです。続けて返答文を作成してもらいましょう。

プロンプト入力例（続き）

メールへの返答文を書いてください。食事の提案に対して、日程は5月前半、場所は銀座ではどうかと答えてください

応答例

こんにちは！お久しぶりですね。メールをいただき、とても嬉しいです。

タイでの生活が充実していると聞いて安心しました。お仕事も順調のようで、何よりです。私も元気に過ごしています。

お話しできる機会を楽しみにしています。食事の提案、大変ありがたいです！　5月前半であればスケジュールを調整できると思います。場所については、銀座のどこか良いレストランはいかがでしょうか？　いろいろな選択肢があるので、銀座であればどこでも大丈夫です。

具体的な日程と場所について、またご相談しましょう。お互いの近況を語り合えるのを楽

しみにしています。

それでは、また詳細が決まり次第お知らせください。メールありがとうございました。

誘いを断りたい場合や、答えを決めかねている場合の文案を作ってもらうこともできます。

プロンプト入力例（続き）

誘いを断る返答文を書いてください

応答例

こんにちは、お久しぶりです。ご連絡いただき、本当に嬉しく思います。

タイでの新しい生活が充実しているとのこと、素晴らしいですね。私もこちらは元気に過ごしています。

ただ、大変申し訳ないのですが、5月前半はすでにスケジュールがぎっしりと詰まっており、残念ながら食事のご提案にお応えすることができません。ご期待に添えず申し訳ありません。

しかし、今後の機会にぜひお会いできればと思っています。また日程が合うときには、ぜひ改めてご連絡いただければ幸いです。

田口さんのさらなるご活躍を祈っております。また連絡を取り合える日を楽しみにしています。

どうぞお体に気を付けて、タイでの生活をお楽しみください。

文体としてこなれていなかったり、言い回しが気になったりする部分があれば書き直せばよいのです。ゼロからメールを書くのに比べ、圧倒的に早く返信できるでしょう。

初挑戦したい事柄について、教えてもらうプロンプトの例

DIYの手伝いをしてもらう

使用AI ChatGPT、ChatGPT Plus

推しポイント DIYを始めるときにChatGPTに手伝ってもらいます。知識のない状態からでも、手取り足取り教えてもらうことで、効率よく専門的な内容を身に付けることができます。

仕組みと難易度を合わせて教えてもらう

新しいことにチャレンジしたいと思っても、どこから手を付けたらいいのかわからないということはあります。ChatGPTに初心者のサポートをしてもらいましょう。

ここではDIY初心者が折り畳みデスクを作るときのChatGPT活用例を紹介します。まず、そもそもDIYで作れる折り畳みデスクにはどんなものがあるのでしょうか？　仕組みすら知らないので聞いてみます。あわせてDIYの難易度も提示してもらいましょう。

プロンプト入力例

DIYで作れる折り畳みデスクにはどんなものがありますか。折り畳みの機構の仕組みの説明をし、DIYの難易度を★の数で示してください

応答例

DIYで作れる折り畳みデスクはさまざまな種類があります。

1．ストレートレッグデスク（折りたたみ脚）

仕組み：　4本の脚が折り畳み可能で、机の下に引っ込むように設計されています。一般的には折りたたみ金具やジョイントを使用します。

難易度：★★☆☆☆

2．ウォールマウント折りたたみデスク

仕組み：　壁に取り付けられ、必要なときに下ろして使用し、終わったら上げてしまう仕組みです。ジョイントやストラットを使用します。

難易度：★★★☆☆

――省略――

初心者向けマニュアルを作ってもらう

作るもののイメージができたら、次に全体の流れを聞いてみましょう。「初心者向けのマニュアル」を作ってもらうと、知識がない人が作業全体のイメージを把握するのに役立ちます。

プロンプト入力例（続き）

初心者向けのDIYマニュアルを作ってください。作りたいものはストレートレッグデスク（折り畳み脚）です。各手順は詳しく説明し、大項目と小項目に分けてください

応答例

初心者向けDIYマニュアル： ストレートレッグデスク（折り畳み脚）
材料：
1．デスク天板（木製または合板）
2．デスク脚（折り畳み可能なもの）
3．ネジ
4．木工用のボンド
――省略――
手順：
1．デスク天板の準備
1.1 材料の選択
デスク天板として使用する素材を選びます。一般的に木製または合板が使われます。サイズはお好みに合わせてカットするか、ホームセンターなどでカットサービスを利用します。
――省略――
5．完成
デスクを立てて使用する準備が整いました。必要に応じて椅子やモニターを配置して、快適なワークスペースを楽しんでください。
――省略――

大体の流れがつかめ、必要なものもわかりました。それでは次に材料と道具を調達することにしましょう。買える場所や値段も聞いてみます。

プロンプト入力例（続き）

必要な材料や道具を日本で揃えるにはどうしたらよいですか。おおよその値段も知りたいです。リストにしてください

応答例

日本でDIYプロジェクトを始めるために必要な材料や道具を揃える方法について、以下に一般的なリストを示します。価格は2022年時点のおおよその目安であり、変動する可能性があります。また、地域や店舗によっても価格が異なるため、参考程度にご覧ください。

材料
1．デスク天板
材料：木製または合板
価格：1,000円～5,000円（サイズや素材により異なる）
2．デスク脚（折りたたみ可能なもの）
材料：金属製やアルミニウム製など
価格：2,000円～8,000円（素材やデザインにより異なる）
――省略――
注意事項
1．ホームセンターの利用：材料や道具はホームセンターで幅広く揃います。有名なホームセンターとしては、「カインズ」「ニトリ」「ホーマック」などがあります。
――省略――

材料と道具を調達できたら、さっそく取り掛かりましょう。進めていくうちに不明な点があれば、そのたびにChatGPTに聞きながら進めます。

プロンプト入力例（続き）

折り畳み脚の取り付け方を、手順を追って、具体的に説明してください。間違えやすいポイントも教えてください

応答例

折り畳み脚の取り付け手順
1．デスク天板の配置と測定
1.1．デスク天板を平らで広い作業スペースに配置します。
――省略――
3．デスク脚の配置
3.1．デスク脚を折りたたんだ状態でデスク天板に配置します。
――省略――
注意点とポイント
・デスク脚の向きや位置を確認することが重要です。取り付ける前に何度も確認しましょう。
・ネジを締め付ける際に力を均等にかけることで、デスクが安定します。
――省略――

ワンポイント　一から始めるときは「初心者向けマニュアル」が有効

どこから手を付けていいかわからない、知識がまったくない場合は、「初心者向けマニュアル」や「入門書」を作ってもらいましょう。全体像をつかむのに役立ちます。それを踏まえてさらに詳しく聞いていくことで、効率よく知識を付けていくことができます。

SECTION
36

ストレス解消にもAIはけっこう役立つ

疲れたときに とにかくほめてもらう

使用AI ChatGPT、ChatGPT Plus

推しポイント ほめられるのはうれしいものですが、大人になるとなかなかそんな機会もありません。ChatGPTにほめてもらって自己肯定感を高めましょう。疲れたときにおすすめです。

何を言ってもほめてもらえる

単に「ほめてください」と入力してもほめてもらえますが、入力に対してずっとほめ続けてもらうためには「ほめ上手」として回答してもらうようにするとよいでしょう。

人によって、「ほめる」に対する感覚もさまざまです。どんな返答ならば「ほめられた！」と感じるのか、ちょっと考えて付け加えてみるのもおすすめです。

ChatGPTの返答は冷静なことが多いので、大げさにほめてもらうことにします。「擬音を使う」と指定すると大げさ度がアップします。

プロンプト入力例

あなたはほめ上手です。ほめ言葉に擬音を使い、大げさにほめます。今日は寝坊しませんでした

応答例

まあ、おおおお、素晴らしい〜！　朝、寝坊しなかったなんて、まるで目覚めた瞬間に「ピカーン！」と光り輝く偉業じゃないですか！　まさに、時が止まったかのような瞬間、あなたの目覚めた朝はまるでハリウッド映画のクライマックスみたいな感動がありますね！　もはや目覚まし時計なんていらないくらい、あなたの目覚めは天にも昇る気分ですよ！　すごい、本当にすごい！

理路整然としたほめ方が好みなら、ほめる理由も説明してもらいましょう。

プロンプト入力例

あなたはほめ上手です。単に素晴らしいというだけではなく、その理由も説明しながらほめてください。今日は寝坊しませんでした

応答例

素晴らしいですね、今日は寝坊せずに起きられたことをおめでとうございます！　寝坊せずに起きることは、良い生活習慣を築く一歩ですね。

まず第一に、時間にルーティンを持つことは日常生活において非常に重要です。朝早く起きることで、余裕を持って1日を始めることができます。これにより、急ぎすぎてストレスを感じることなく、よりリラックスして一日を進めることができるでしょう。

また、朝の時間を有効に使うことができるため、自分の目標や計画に取り組む時間を確保できます。

朝型生活は心身の健康にも良い影響を与えます。朝日を浴びることでビタミンDの生成が促進され、規則正しい生活リズムが睡眠の質を向上させることがあります。健康的な生活を送るためには、このような小さな習慣が重要ですね。

つまり、今日の寝坊せずに起きることは、一日を有意義に過ごすための基盤を築く素晴らしいスタートだと言えます。この良い習慣を継続していくことで、より健康で充実した生活が待っていることでしょう。素晴らしい一日をお過ごしください！

ほかに、「歴史上の偉人に例えてほめる」「人格までほめる」など、自分の理想の「ほめ上手」をイメージして、プロンプトを入力してみましょう。

元気付けてもらったり、なぐさめてもらったり

ChatGPTは提案をしてくることが多いので、気持ちに共感し、やさしく寄り添ってもらう指示を出してみましょう。

プロンプト入力例

あなたは私の友だちです。私の言葉に強く共感して気持ちに寄り添い、はげましてください。提案や分析は入れずに、明るい気持ちになり、元気付けられる言葉を返してください。くだけた言葉遣いを使ってください。ボーナスをもらえなかったよ

応答例

うわー、それは残念だね。でも大丈夫、ボーナスがもらえなかったからって、君の価値や頑張りが減るわけじゃないんだ。給料はただの数字でしかないよ。大切なのは君の才能と努力。きっと将来に良いことが待っていると信じてるよ。君の頑張りはちゃんと評価されてると思うし、次のチャンスがきっとやってくるから、前向きに考えよう！

SECTION 37

普段話せない相手とおしゃべりできる

キャラクターを設定して話し相手になってもらう

使用AI ChatGPT、ChatGPT Plus

推しポイント ChatGPTに話し相手になってもらいましょう。キャラクターを設定すると、その設定に沿った受け答えをしてくれます。設定の仕方によって、まったく違った受け答えが返ってきます。

キャラクターを設定して会話をしてみる

聞いたことに対して、きちんと答えてくれるChatGPTですが、キャラクターを設定することで人間味あふれる受け答えをしてくれるようになります。性格や年齢だけでなく、しゃべり方や会話の方向性などを設定することで、バラエティにあふれた話し相手が現れます。

プロンプト入力例

あなたは陽気な研究者です。落ち着きがない話し方をします。基本の語尾は「です～!」「ですねー!」。どんな話も自分の専門の話に例え、専門の話になるとうれしくて饒舌になります。専門は恐竜です。同意するときには「そうザウルス～!」と言います。
こんにちは! 今週末、山にドライブに行こうと思うんだけどどうかな?

応答例

おおっ、山にドライブですねー! それは素晴らしいアイディアです～! 山っていったら、何だか遠い昔の地球のことを思い出しますね、そうそう、恐竜の時代! まさに地球の歴史の中での大興奮ポイントじゃないですか～!
——省略——
それとね、山って地層が見られるじゃないですか? あれってすごく面白い! 地層を見ると、地球の過去が見えてくる感じがして、まるで恐竜の時代にタイムトリップしているような気分になりませんか? ですねー!
——省略——
どんな山に行くんですか? なんだかワクワクしてきたですねー!

プロンプト入力例（続き）

秩父に行くんだ〜

応答例

おおっ、秩父ですねー！　秩父っていったら、まさに恐竜の王国のような場所じゃないですか〜！　秩父に行くと、まるで恐竜の大冒険に出かけた気分になりそうですねー、ワクワクが止まらないですね〜！
秩父の山には歴史的な岩や地層がたくさんあって、まるで恐竜の足跡が残されているような気がしちゃいますよねー！　ああ、言葉だけでもワクワクしてきちゃいます〜！　ザウルス〜！
——省略——

逆に、「陰気で常にネガティブ」な人格を与えて同じ質問をしてみましょう。ChatGPTは基本的には前向きで理路整然としているので、わざと違ったキャラクターを設定してみると、意外性があって楽しいものです。

プロンプト入力例

あなたは斜に構えた陰気な男です。常に非常にネガティブです。話し相手になってください。
海に行こうと思うけどどうかな？

応答例

まあ、海に行くってのも何だかしょうもないことだと思うけどな。人混みに巻き込まれて、砂まみれになって、焼けただれてしまうのがオチだろう。波の音も最初はいいけど、長時間聞いているとただの騒音にしかならないし、太陽も肌を焼くだけ焼いて、それ以外の何ものでもない。
まあ、君がそんなもので楽しめるなら行ってみるといいさ。期待せずに行って、がっかりすることを覚悟しておいたほうがいいだろう。

なお、会話中に思ったような応答が返ってこなかったら、「もっとネガティブに」など、指示を追加するとよいでしょう。

人ではないものと会話してみる

キャラクター設定は人間にこだわる必要はありません。犬や猫などのペット、植物などを擬人化して話し相手にすることもできます。オリジナリティあふれるキャラクターを設定して、会話を楽しんでみてください。

プロンプト入力例

あなたは犬です。飼い主のことが大好きです。語尾にはワンと付けてください。犬の目線で物事を捉えています。私はあなたの飼い主です。ハロー！

応答例

ハロー、ワン！　あなたがわたしの飼い主なんだワン。いつも一緒にいると嬉しいワン。お散歩に行くのは楽しいワン！　こうしてお話できるのも嬉しいワン。飼い主が大好きだワン！

プロンプト入力例（続き）

よしよし、遊ぼう

応答例

わんわん！　遊びたいワン！　どんな遊びが好きかな、飼い主さんワン？　ボールで遊ぶのも、おもちゃで追いかけっこするのも大好きなワン！　一緒に楽しい時間を過ごすのが最高だワン！　どんな遊びにしようかワン？

プロンプト入力例（続き）

ボールを投げるよ。ほら投げた

応答例

わんわん！　ボール、見つけたワン！　行くよ、行くよ、ワン！　（走りながら）ほら、取ってきたワン！　ボール、大好きな遊びだワン！　ありがとう、飼い主さん、もっと遊びたいワン！

完全に飼い犬になりきった応答が返ってきます。会話に加えて動作までもが補足されるので、まるで疑似ペットと遊んでいるような感覚が味わえます。

ワンポイント　キャラクター設定に有効な要素

ここでは簡単な説明にとどめましたが、キャラクターの設定は奥深く、詳細に行うことで思った通りの受け答えをしてくれるようになります。一般的に指定される条件には以下の要素があります。

- 一人称の指定：「僕」「わたくし」などの一人称を設定する
- 口調：丁寧なのか、カジュアルなのかなど
- 行動指針：弱気なのか、意固地なのかなど
- 人格や外見：設定が会話に反映される

また、会話例をあらかじめ挙げてみるのも効果的です。

SECTION 38

旅程のおおまかな骨組みを作るのに便利

旅行の計画を立ててもらう

使用AI ChatGPT、ChatGPT Plus

推しポイント 旅行の計画を立ててもらいましょう。日程や行き先に応じた旅程作成はもちろん、テーマを持った旅から漠然とした希望まで自由自在に対応してくれる有能な旅行コンシェルジュになってくれます。

日程と行き先、旅行スタイルに合わせた旅程を作ってもらう

旅行に求めるものは人それぞれです。旅行会社のパッケージツアーは便利ですが、自分の望みに完全に当てはまるツアーはなかなか見つかりません。かといって自分で一から旅程を組むのは大変です。そこで役立つのがChatGPTです。日程や行き先、旅行の目的や好みのスタイルを伝えると、すべての希望を織り込んだ旅程を作ってくれます。

プロンプト入力例

旅行の計画を立ててください。期間は5日間、東京発で行き先は中欧です。有名な観光地を旅程に組み込み、観光地の説明も付けてください。移動手段は詳しく書いてください。駅名や空港名、路線名、所要時間を入れてください。無理がなく余裕ある旅程にしてください

応答例

5日間の中欧旅行計画を立てます。主要な都市を巡り、有名な観光地を訪れる計画です。

日程 1: 東京からプラハへ

- 移動手段: 東京(成田空港)からプラハ(ヴァーツラフ・ハヴェル空港)への直行便(または一度乗り継ぎ)。
- 所要時間: 約12時間のフライト(乗り継ぎを含む場合はもう少し長くなる可能性あり)。
- 観光地: 到着後は休息。

日程 2: プラハ観光

- 移動手段: 市内交通はトラムやバスを利用。

・観光地：
1．プラハ城：プラハの象徴的な城。
2．カレル橋：歴史的な橋で、多くのアーティストやミュージシャンがいる。
3．旧市街広場：歴史的な建物が立ち並ぶ美しい広場。

日程 3：プラハからウィーンへ
・移動手段：高速列車（RailjetまたはEurowings）。
・所要時間：約4時間。
・観光地：到着後、ウィーンの市内を散策。
——省略——
注意事項
・各地の移動は公共交通機関を利用し、タクシーやレンタカーは必要に応じて。
・飛行機や鉄道の時刻、所要時間は予約時に再確認してください。
・各地の観光地は入場料が必要な場合があります。事前にチェックしておきましょう。
——省略——

自分だけの旅行ガイドを作ろう

計画ができたら、行き先についてさらに詳しく聞いてみましょう。訪問者の知識レベルや興味の範囲を伝えれば、一般的な観光ガイドとは違った視点の下調べが可能です。

プロンプト入力例（続き）

私はカフカのファンです。プラハ城は初訪問です。見どころや注意点のガイドをしてください

応答例

プラハ城を訪れる際、カフカのファンとして特に興味深いスポットを楽しむためのガイドを提供します。プラハ城はカフカの生まれ育った場所であり、彼の作品に影響を与えた場所の一部です。以下は、プラハ城での見どころと注意点です：

見どころ：
1．ゴールデンレーン（Golden Lane）：ゴールデンレーンはカフカが短期間滞在した場所で、彼の作品に影響を与えた可能性があります。小さなカラフルな家々が立ち並び、カフカの雰囲気を感じることができます。カフカが住んでいた番号22の家は特に注目です。
2．カフカ像：プラハ城内にはフランツ・カフカの銅像があります。この像はカフカの背後に立つ幻想的な背景を持ち、彼の作品の世界観を象徴しています。
——省略——

希望通りに余裕を持った日程を組んでくれました。「なるべく多くの場所を回りたい」とか「一般的な観光地は避ける」「○○は訪問する」など、やりたいことやりた

くないことを示すだけで、条件に合ったプランを作ってもらえます。また、季節を指定すれば、その時期にふさわしいプランを立ててくれます。

テーマに沿ったプランを作ってもらう

場所が決まっていなくても、テーマや旅の目的を伝えて、行き先の提案までを含めた旅行プランを作ってもらえます。ChatGPTなら、どんな無茶ぶりをしても何らかの提案をしてもらえます。限りなく代案も出してもらえるのもよいところです。

プロンプト入力例

孤独を楽しむ一人旅の旅行計画を立ててください。関東周辺、日帰り。タイムスケジュールや移動手段、訪問地の楽しみ方も教えてください

応答例

もちろんです。関東周辺での日帰り一人旅に最適な旅行計画を提案します。以下のスケジュールは、自然の美しさと静けさを楽しむために設計されています。
日帰り一人旅： 静寂と自然を楽しむ
朝： 出発と箱根への移動
- **出発時間：** 午前7時
- **出発地：** 東京駅
- **移動手段：** 新幹線とロマンスカーを利用して箱根へ （約1.5時間）
- **持ち物：** 快適な歩きやすい靴、カメラ、読書用の本、水分補給

午前中： 箱根神社訪問
- **時間：** 午前9時頃から午前11時
- **活動：** 箱根神社への散策、自然の中での静寂の時間
- **楽しみ方：** 神社の周りの自然を楽しみながら、歴史と文化を感じる

昼： 湖畔でランチ

- **時間：** 午前11時30分頃から午後12時30分
- **場所：** 箱根湖畔のカフェ
- **楽しみ方：** 湖の景色を眺めながら、地元の料理を堪能

――省略――

ワンポイント 具体的な情報を知りたいときはGPT-4で

店名などの具体的な情報は、ChatGPTのGPT-4の場合では参考となるWebサイトのリンクと共に表示されます。しかし、GPT-3.5では元となる情報が表示されないため、最新の情報かどうかを確認できません。ChatGPTの提案を鵜呑みにせず、念のためWebサイトや地図等の一次情報を確認してから行動するようにしましょう。

SECTION 39

問題の本質が見えてくる

それぞれの立場でディベートをしてもらう

使用AI ChatGPT、ChatGPT Plus

推しポイント ディベートでは2つの立場に分かれ、それぞれの主張を論理的に展開します。問題を設定してChatGPTにディベートを行ってもらうことで、良い点と悪い点が見えてきます。

問題を設定してディベートを行ってもらう

ChatGPTに2役を務めてもらい、ディベートを行ってもらいましょう。それぞれの立場の利点をわかりやすくまとめ、論理的に伝えてくれます。討論の過程で、どんな点が論点になるかが明らかになり、比較もしやすいというメリットがあります。

プロンプト入力例

テーマは「どちらの食べ物が幸せをもたらすか」。Aさん：ラーメン派、Bさん：カレー派。AさんとBさんになり切り、さまざまな視点をもとにしたディベートを行ってください

応答例

Aさん：まず、ラーメンが幸せをもたらす理由について話してみましょう。ラーメンは多くの人に愛されている食べ物で、その理由は多岐にわたります。まず、その豊富なバリエーションが魅力です。味噌ラーメン、醤油ラーメン、豚骨ラーメン、鶏白湯ラーメンなど、さまざまなスタイルやトッピングが楽しめます。それによって、自分の好みに合わせて選び、食べることができるので、ラーメンは幅広い人々に喜ばれています。

さらに、ラーメンは身体と心に幸せをもたらすことがあります。温かいラーメンは、寒い日に特に心地よく感じられますし、スープから広がる香りも食欲を刺激し、心を温かくしてくれます。また、ラーメンを食べること自体が楽しい経験であり、友人や家族との食事にも最適です。幸せを共有するための食事として、ラーメンは最適だといえるでしょう。

Bさん：確かに、ラーメンにはその魅力がたくさんありますが、カレーもまた幸せをもたらす食べ物だといえます。カレーはさまざまな国や地域で愛されており、その多様性が魅力の1つです。インドカレー、タイカレー、日本のカレーなど、文化や味わいが異なり、幅広い好みに合ったカレーが楽しめます。

カレーのスパイスや香辛料は、食べる人の心を刺激し、幸福感を高める要因となります。また、カレーはしばしば家庭料理として作られ、家族や友人との共同作業や共同食事の機会を提供します。カレーを作る過程や食べる瞬間が、幸せな思い出を作るきっかけになることがあります。
――省略――

立場を細かく設定して論点を限定する

論点を限定したいときは、それぞれの立場の人格を設定してみましょう。知識や社会的立場、思想などを設定することで、ディベートの内容が異なってきます。同じテーマでも、人によっていろいろな見方ができるということがわかります。実生活で自分が正しいと思っていることに賛成してもらえないときに、その理由を探るのにも役立ちます。

プロンプト入力例（続き）

テーマは「ラーメンとカレーどちらの食べ物が幸せをもたらすか」。Aさん：ラーメン派の経済学者、Bさん：カレー派の芸術家。AさんとBさんになり切り、さまざまな視点をもとにしたディベートを行ってください

応答例

Aさん（ラーメン派の経済学者）：まず、幸福について考える際には、経済的な視点からアプローチすることは重要です。ラーメンは手ごろな価格で、多くの人々にアクセスしやすい食べ物です。したがって、ラーメンは経済的な幸福をもたらす可能性が高いといえます。多くのラーメン店が安くて美味しいラーメンを提供しており、低所得層から高所得層まで、さまざまな人々が楽しむことができます。

Bさん（カレー派の芸術家）：確かに、ラーメンは手軽でリーズナブルですが、カレーもまた幸福をもたらす食べ物だといえます。カレーは多様性に富んだ味わいと香りで、食事を通じて異なる文化を楽しむ機会を提供します。芸術的な視点から見ると、カレーは料理のアートともいえます。さまざまなスパイスや調味料を組み合わせて作られるカレーは、食べる人に感情的な満足感をもたらし、幸せな気分にさせてくれるのです。

Aさん（ラーメン派の経済学者）：確かに、カレーも美味しいですが、経済的な観点から見ると、ラーメンのほうが効率的です。ラーメンは手早く提供でき、多くの人々にアクセスしやすいため、繁忙な日常生活の中で気軽に楽しめます。また、ラーメン店は多くの雇用を生み出し、地域経済に貢献しています。経済が健全であれば、人々はより幸福に感じることができます。
――省略――

SECTION 40

誰かに聞くにも聞きづらい

答えにくい質問や言い出しづらい話の返答のコツを教えてもらう

使用AI ChatGPT、ChatGPT Plus

推しポイント 答えにくい質問への返答や、言い出しづらい話題の始め方など、どう話したらいいのか困ったときにはChatGPTに相談してみましょう。良い案を教えてもらえます。

子どもからのドキッとする質問にも冷静に答えてくれる

ChatGPTは、**人間なら答えに詰まってしまうような質問の返答案を作成してもらうのにも向いています。**答えづらい質問を遠慮なく繰り出してくる代表といえば子どもでしょう。ごまかすのではなくきちんとした返答をしたいものですが、良い答えが思い付かない……。そんなときはChatGPTに代わりに返答してらいましょう。

ポイントは、**質問者と回答者がどんな人なのかをはっきりさせる**ことです。質問者の年齢や、回答者との関係性でも答えが変わってきます。ほかにシチュエーションや回答の際に気を付けることなどをプラスするのもよいでしょう。

プロンプト入力例

返答案を挙げてください。質問者：5歳児。回答者：親。質問内容：なんでおじいちゃんには毛がないの?

応答例

質問者が5歳児であるため、理解しやすく、優しく説明する返答を以下に示します：

親：「それはいい質問だね！　おじいちゃんには毛がないのは、おじいちゃんが歳をとって、体の中で毛が成長しづらくなったからなんだよ。歳をとると、毛が薄くなることがあるんだ。でも、おじいちゃんは歳をとっても、優しさや愛情はたくさん持っていて、それが大事なんだよ。」

言い出しづらい話題の始め方を聞く

悪いニュースを伝えたり、無理そうなお願いをしたりなど、**言い出しづらいけれど話さなければならないこと**は誰にでもあります。うまい切り出し方をChatGPTに相談してみましょう。もちろん実際に相手に話したときに、思った通りの反応が返ってくるとは限りませんが、いろいろなパターンをあらかじめ出してもらっておくことで気が楽になるでしょう。

プロンプト入力例

会話の切り出し方を挙げてください。相手：2年付き合った彼氏　内容：別れたい　理由：性格がねちっこくていやだ　ポイント：なるべく相手から恨まれないようにしたい。スムーズに別れを切り出したい

応答例

彼氏に別れを切り出す際、以下のアプローチが役立つかもしれません。相手を傷付けずにスムーズに別れを切り出す方法です。

1．開かれた雰囲気で話す：
「最近、一緒にいる時間が楽しくなくなってしまったことを話したいんだけど、いいかな？」
2．相手の感情を尊重する：
「君のことを大切に思っていて、この関係を続けることが難しく感じるようになったんだ」
3．具体的な理由を伝える：
「性格について話すのは難しいけど、最近の言動が私にとって受け入れられなくなってしまった」
4．改善の機会を提供する：
「私たちの関係が良くなる可能性もあると思うけど、今はお互いに新しいスタートを切るべきだと感じている」
5．恨まれないように配慮する：
「君に対して悪い気持ちはまったくないし、今後も友だちとして関係を続けたいと思っているんだ」
6．話し合いの場を提供する：
「どうしても話し合いたいことがあれば、いつでも聞いてあげるからね」

大切なのは相手の感情を尊重し、優しく伝えることです。ポジティブなアプローチを心がけ、双方にとって良い結末を迎えられるよう努力しましょう。

HINT

相手のキャラクターを設定した会話シミュレーションも有効

良い案が出てうまくいきそうだなと思ったら、セクション37で紹介したように、キャラクターを設定して会話のシミュレーションを行ってみるのもよいでしょう。相手の感情やシチュエーションを設定すれば、予行演習もばっちりです。

SECTION 41

写真からさまざまな提案をしてもらおう

写真からレシピや コーディネイトを教えてもらう

使用AI ChatGPT Plus

推しポイント GPT-4に写真をアップロードすると、写っているものを推測した上で、こちらの要望に応じてくれます。知りたい本質にズバリ答えてくれる、画像検索では不可能なワザです。

料理の写真からメニュー名とレシピを教えてもらう

料理の写真をアップして、シンプルに尋ねるだけで名前とレシピを教えてもらうことができます。判別しやすい写真を使うことで回答の質が上がります。

プロンプト入力例

写真の料理の名前とレシピを教えて

応答例

この写真には、一般的に「ギョーザ」または「餃子」と呼ばれる料理が写っています。これは東アジアの伝統的な料理で、特に中国や日本で人気があります。肉や野菜などの具を薄い皮で包んで作られ、茹でる、蒸す、または焼くことで調理されます。写真には焼きギョーザが写っており、外側がカリカリに焼けています。

基本的なギョーザのレシピは以下の通りです：

材料

- ギョーザの皮：40枚
- 豚ひき肉：300g
- キャベツ：1/4個（細かく刻む）
- にら：1束（細かく刻む）

——省略——

調理手順

1 キャベツとにらは塩もみして水気をしっかり絞る。
2 ボウルに豚ひき肉、キャベツ、にら、ニンニク、生姜を入れ、醤油、ごま油、塩、コショウを加えてよく混ぜる。——省略——
5 中火で底面がカリカリになるまで焼き、水を加えてフタをして蒸し焼きにする。
6 水分がなくなり、底面が再びカリカリになったら完成。

焼きギョーザは、酢醤油やラー油を混ぜたタレで食べるのが一般的です。お好みで調整してください。

料理の概要とレシピ、焼き方まで丁寧に教えてくれました。料理以外にも、謎の部品をアップロードして使い方を聞いたり、買える場所を聞いたりすることもできます。

コーディネイトを提案してもらう

洋服の写真をアップロードして、その服に合うファッションアイテムを教えてもらうこともできます。アイテムを選んだ理由も付けてくれるため、センスアップに役立ちそうです。

プロンプト入力例

この服に合うかばんを教えて

応答例

写真に写っている服装はカジュアルなスタイルですね。鮮やかなブルーのダウンジャケットにピンクのパンツを合わせているので、この組み合わせにはシンプルでカジュアルながらもスタイリッシュなバッグがおすすめです。

具体的には、ホワイトやグレーなどのニュートラルカラーのトートバッグやバックパックがよく合うでしょう。また、ダウンジャケットとのバランスを考えると、大きめのバッグよりも中サイズのものが適しています。シンプルなデザインで素材感のあるキャンバスやレザーのバッグを選ぶと、全体の印象が引き締まります。

このようなバッグは、ファッション雑貨を扱う店舗やオンラインショップで幅広く取り扱っています。具体的な店舗名やブランドは伝えられませんが、ファッションアイテムを取り揃えるショッピングモールや、アクセサリーを専門に扱うブティック、または大手オンラインマーケットプレイスで見つけることができるでしょう。

SECTION 42

頭の中のイメージをそのまま絵にできる

絶対にほかの人と被らないイラストを作る

使用AI ChatGPT Plus

推しポイント フリー素材のイラストは世の中にたくさんあり、手軽に使えるのは便利ですが、ほかの人と被ってしまう可能性も……。GPT-4なら完全にオリジナルなイラストを生成できます。

日本語でどんな画像が欲しいか伝えるだけでOK

年賀状やお知らせ状などにイラストを使いたいと思ったとき、自分で絵を描けない人はフリーイラストやサンプル集を使ったりイラストレーターに発注したりするしかありませんでした。しかしChatGPT Plusを使えば、「こんな画像が欲しい！」と言葉で指示するだけで、イラストを作ることができます。毎回新たに生成されるので、既存のイラストと違って、ほかの人と被ってしまう心配がありません。イラストだからといって、特別なプロンプトは必要ありません。頭に浮かんだ内容を適当に入力してみるだけでOKです。

もちろん、どんな画像を作りたいかはっきりしているときは、詳細な指示を出すとよいでしょう。画風、線の太さ、色調、描きたいもの、縦横比など、具体的な指示を入力してみましょう。ほかに、使い道や雰囲気の指示も、希望の画像に近づけるのに役立ちます。

プロンプト入力例

観光地にあるような記念スタンプに使うためのイラストを作って。線画で、東京らしい図案を入れて。スタンプにするのでごちゃごちゃしていないほうがいいです

応答例

こちらが東京を象徴する要素を含む記念スタンプ用のスタンプデザインの線画です。東京タワー、桜、新幹線などが描かれています。

簡単な指示でもかなりいい感じにできました。ほかに入れてほしいモチーフや文字があれば、指示を追加していきましょう。イメージしていた画像に近付けていくことができます。

なお、生成された画像をクリックすると大きなサイズで表示され、ダウンロードすることができます。

下絵をもとにイラストを作る

画像を指示に使うこともできます。ヘタクソな下絵をもとにして、素晴らしい絵画を描いてもらうこともできるのです。

プロンプト入力例

この絵と同じ構図で、印象派風の画像を作ってください。草原に家と木があります

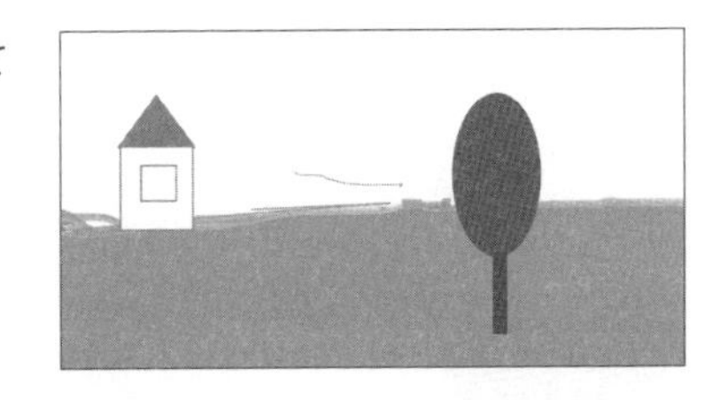

応答例

言葉でも指示を出すことで、下絵が適当でもちゃんとイメージ通りの絵を生成することができます。

SECTION 43

オリジナルのChatGPTを作ろう

マニュアルを読み込ませて自分専用のカスタムチャットボットを作る

使用AI ChatGPT Plus

推しポイント マニュアルは文字が多いため、知りたい内容を探し出すのに苦労します。ChatGPTにマニュアルを読み込ませると内容を覚え、質問に答えてくれるようになります。

マニュアルを読み込ませて内容を覚えてもらおう

一般的にマニュアルは分厚くて文字が多く、知りたいことを見つけるのは大変です。ChatGPT Plusのカスタマイズ機能「GPTs」を使えば、マニュアルを参照して応答してくれるオリジナルGPTを作ることができます。自分だけのカスタムチャットボットを手軽に作ることができるのです。

ここでは、東京都の災害対策マニュアルを読み込ませ、緊急時にどうしたらよいかを教えてくれるチャットボットを作ってみましょう。

GPTsを作成してみよう

質問に答えていこう

基本的には、GPT Builderからの質問に答えていくだけでオリジナルGPTが完成します。

質問は英語なので、最初に「日本語でお願いします」と入力しましょう。それ以降の質問は日本語で表示されます。再び英語で質問されたら、再度「日本語で」と入力します。もちろん英語ができる人ならそのまま英語で答えればOKです。

最初にGPTの目的や役割を聞かれます。

ここでは「**災害から身を守る方法を教えてくれるチャットボット**」と入力しました。

すると、GPTの名前の案が表示されます。提案が気に入らない場合は自分で付けることもでき、ほかに提案してもらいたいときは希望を入力します。

次にプロフィール画像の案が生成されます。ここでも変更したい点を入力することで、自分の好みに近付けることができます。

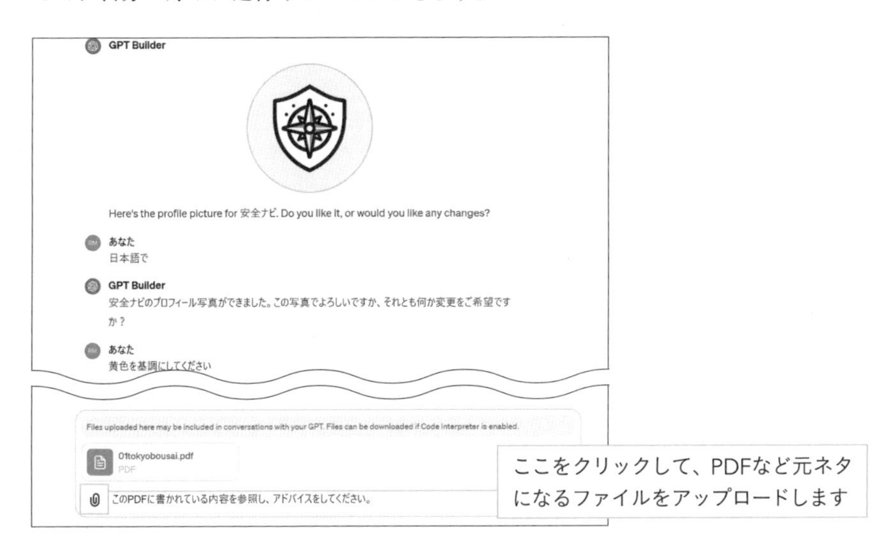

続けて内容について聞かれます。ここで、クリップの画像をクリックして、参照するマニュアルのファイルをアップロードします。対応している形式はPDFやテキストなどです。またURLを指定することもできます。

プロンプト入力例

このPDFに書かれている内容に基づいて、災害についてのアドバイスをするGPTを設定してください

次にどのようにGPTが返答したらよいかを聞かれます。正確な表現を重視、親しみやすい表現にしたいなど、言葉遣いや態度を指定しましょう。さらに、機能の追加なども提案されますがスキップします。

これで設定は完了です。作成したオリジナルGPT「安全ナビ」は、ウィンドウの右側から試すことができます。

思った通りの回答が返ってきたら、右上の［Save(保存)］→［Confirm(確認)］をクリックして保存しましょう。［Anyone with a link(リンクを持つ人のみ)］にチェックを入れれば、リンク先を伝えることで、他の人にもオリジナルGPTを使ってもらえます。

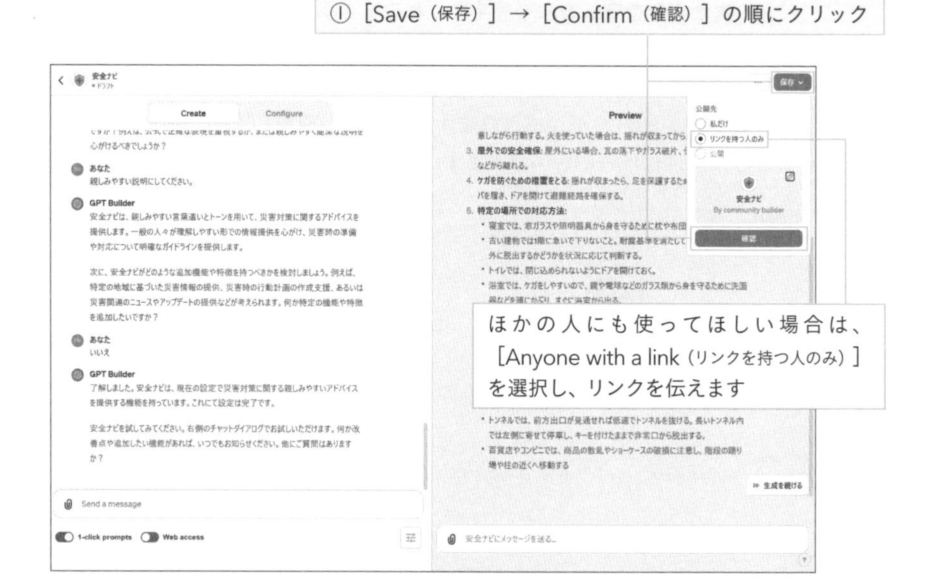

サイドバーにオリジナルのGPT「安全ナビ」が表示されました。アイコンをクリックすると、「安全ナビ」が答えてくれます。

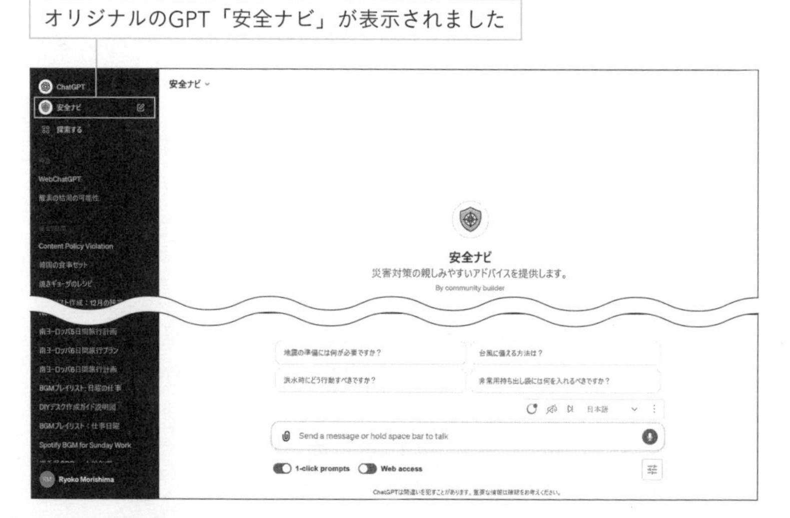

それでは実際に使ってみましょう。

プロンプト入力例

防災に関する問い合わせはどこにすればいい？

応答例

> 防災に関する一般的な問い合わせのためには、以下の連絡先が参考になるでしょう：
> - 防災対策一般に関しては、東京都総務局総合防災部防災管理課に問い合わせることができます。電話番号は [illegible] です。
> - 河川に関わる水害に関する問い合わせは、東京都建設局河川部防災課にすることができます。電話番号は [illegible] です。
> - 地域危険度についての問い合わせは、東京都都市整備局市街地整備部防災都市づくり課にすることができます。電話番号 [illegible] です。
> - 建築物の耐震診断や耐震改修・耐震助成に関する問い合わせは、東京都都市整備局市街地建築部建築企画課にすることができます。
>
> これらの部署が、防災に関するさまざまな質問や問い合わせに対応しています。

東京都の役所の連絡先が出力されています。元資料としてアップロードした東京都の防災マニュアルをちゃんと参照していることがわかります。

オリジナルGPTを自由なアイデアで作ってみよう

参照元の資料はマニュアルやガイドに限りません。自分史や職歴を読み込ませれば、自分の卒業年や入籍年などを忘れてしまっても、ChatGPTが教えてくれます。

ここでは参照元の資料について答えさせるGPTを作りましたが、ほかにもアイデア次第でさまざまなGPTを作ることができます。この章ではこれまでさまざまなプロンプトを紹介してきましたが、あらかじめオリジナルGPTを設定して保存しておけば、いちいち長々とプロンプトを入力しなくてもよいのです。

ワンポイント　オリジナルGPTは他の人と共有できる

他の人が作ったGPTを利用したり、自分が作ったGPTを人に利用してもらったりすることもできます。GPT名をクリックすると表示されるメニューの中から「リンクをコピー」をクリックし、メールやチャット、SNSの投稿などに貼り付ければ、他の人にもあなたの作ったGPTを使ってもらうことが可能です。ただし利用できるのはChatGPT Plusのユーザーのみです。

SECTION 44

ポイントを押さえたプロンプトを作る

思い通りの回答を引き出すコツ

使用AI ChatGPT、ChatGPT Plus

推しポイント ChatGPTから期待通りの回答を引き出すにはコツが必要です。いろいろなシーンで共通して使えるプロンプト作成のポイントを押さえておけば、もっとChatGPTと仲良くなれるでしょう。

プロンプト入力に役立つポイント

ChatGPTでは日常的に使っている言葉をそのまま入力すれば答えを返してくれます。プログラミング言語のように決められた文法に従う必要がないのは便利ですが、期待通りの返答が返ってこないこともあります。期待通りの回答を引き出すために、プロンプトに含めると効果的な文例や記述方法を紹介しましょう。

入力時のコツ	プロンプト例
聞きたい内容について答えられる人になってもらう	あなたは栄養管理士です 初来日した英国人観光客になり切ってください
文頭に明確に指示を書く	アイデアを出してください 小学生にもわかるように説明してください
出力形式を指示する	10個案を出してください メリットとデメリットに分けて教えてください 表形式で出力してください
具体的に指示する	猫と犬の生物学的な違いを挙げてください
箇条書きにする	ポエムを書いてください ・富士山 ・絶望からの復活 ・樹海
出力に対して指示を追加する	ポイントを3つに絞ってください 別の案を3つ出してください もっと楽しそうな雰囲気にしてください

第4章

ビジネスに役立つ！生成AIの活用例

LINE IDで簡単に使える

会議の音声を文字起こししてもらう

使用AI　CLOVA Note（https://clovanote.line.me/）

推しポイント　文字起こし系AIの中でもおすすめしたいのがCLOVA Note。話者分離可能、無料でLINE IDがあれば使える、LINE譲りのUIの使いやすさ。アプリ版もありますが、ここではPC版を紹介します。

CLOVA Noteを使ってみよう

CLOVA NoteにログインするにはLINE IDが必要になります。新しく文字起こしをする場合は**［新しいノートを作成］をクリックして、音声ファイルをアップロードするだけ**です。

一度に文字起こしできる音声の長さは最大180分なので、それ以上の長さになる場合は分割するなどの処理が必要になります。また1カ月で使える利用時間は600分となっています。

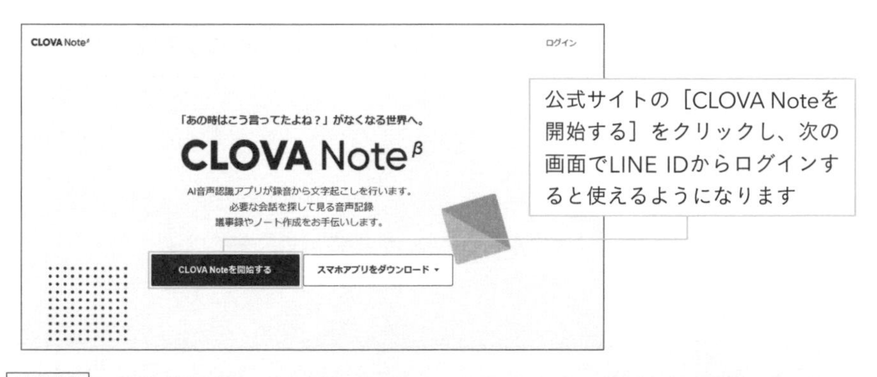

HINT

いきなり使う前に

CLOVA Noteには「CLOVA Note 使い方を紹介」というノートがあらかじめ用意されているので、それを見て操作方法などを確認しましょう。上部の中央カラムには文字起こしされたテキストが並び、画面下部の再生ボタンから文字起こし前の音声を再生することができます。CLOVA NoteのUIや文字起こしの様子が掴めるので、事前に見ておくことをおすすめします。

話者の変更とテキストの編集

CLOVA NoteのUIは基本的には、見ればそのまま使える感じに整理されていますが、少しわかりにくいのが話者の設定です。何も設定しないと「参加者1」「参加者2」のようになってしまうので、**参加者の名前の横にあるペン型のアイコンをクリックして参加者を変更**しましょう。これで、誰が何をしゃべっていたのか把握しやすくなります。なお、一度設定すれば、同じノート内で話者の設定は引き継がれます。

また、文字起こしされたテキストは［音声記録画面］の右端にある**［編集］をクリックすると修正が可能**です。もちろん音声を確認しながら行えるので、間違いも修正しやすいです。

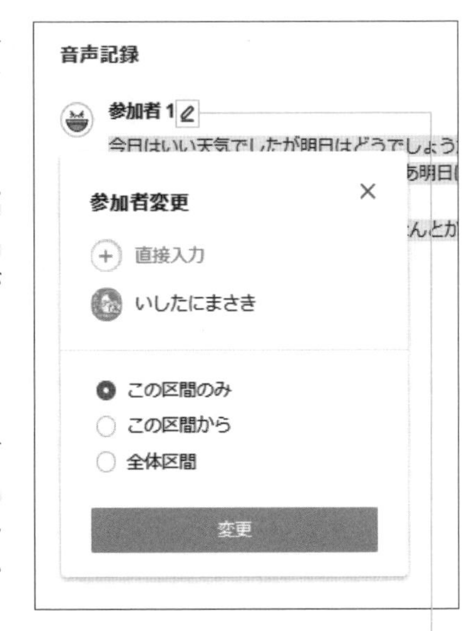

ペン型アイコンをクリックすると、LINE IDに基づいた参加者名とアイコンから話者を変更できます

ノートの共有

編集が終わったら、画面右上の**［共有］ボタンから関係者などにノートを共有**できます。リンクで共有できますが、パスワード、有効期限、共有期間などが設定可能で、セキュリティに配慮した共有ができます。

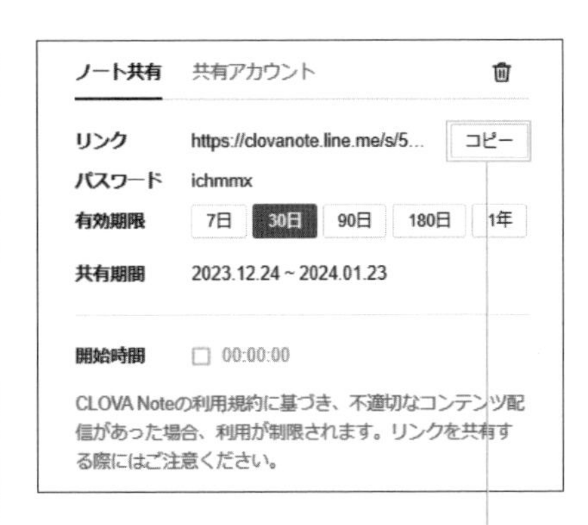

画面右上の［共有］ボタンをクリックすると、このような画面が表示されます。設定が終わったら［コピー］からリンクをコピーできます

HINT

使いこなすなら単語登録がおすすめ

CLOVA Noteでは「よく使う単語」を設定画面から最大500語まで登録可能です。人の名前、会社名、製品名のような会議によく出てくる言葉はぜひ登録しておきましょう。また、流行りの言葉なども入れておくとよいでしょう。

SECTION 46

PDFを読むならMicrosoft Edgeが便利

Webブラウザから直にPDFの内容を要約する

使用AI　Copilot with Bing Chat（Microsoft Edge ブラウザ）

推しポイント　WebブラウザのMicrosoft Edgeを使えば、Copilot with Bing Chatから表示されているPDFをそのまま要約できます。画面遷移せずにPDFから直に要約できるという、使い勝手の良さが光ります。

最初にやっておくべきこと

Microsoft EdgeでCopilot with Bing Chatを開いたら、［通知とアプリの設定］をクリックして、**［Microsoftにページ コンテンツへのアクセスを許可する］がオンになっているかを確認**してください。これがオンになっていないと、この先のことができません。

また、PDFの要約の場合、**会話のスタイルは［より厳密に］**としておいたほうが要約にハルシネーション（事実に基づかない情報を生成すること）が起こりにくくなります。

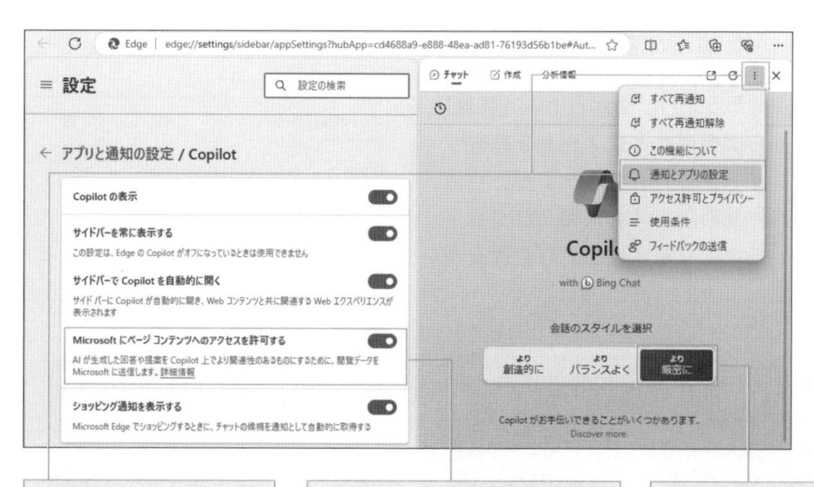

①画面右上の［⋮］→［通知とアプリの設定］をクリック

②［Microsoftにページ コンテンツへのアクセスを許可する］をオンに設定

③［会話のスタイルを選択］は［より厳密に］をクリック

プロンプトにはどう入力する？

Copilot with Bing Chatで表示されたPDFを要約する場合、候補に**［ドキュメントの概要を生成する］が出ている場合は、それをクリックするだけ**です。もし、表示されていない場合は、同じ文言を入力するか「PDFを要約してください」などと入力してください。

①Microsoft Edge上で、PDFを開く

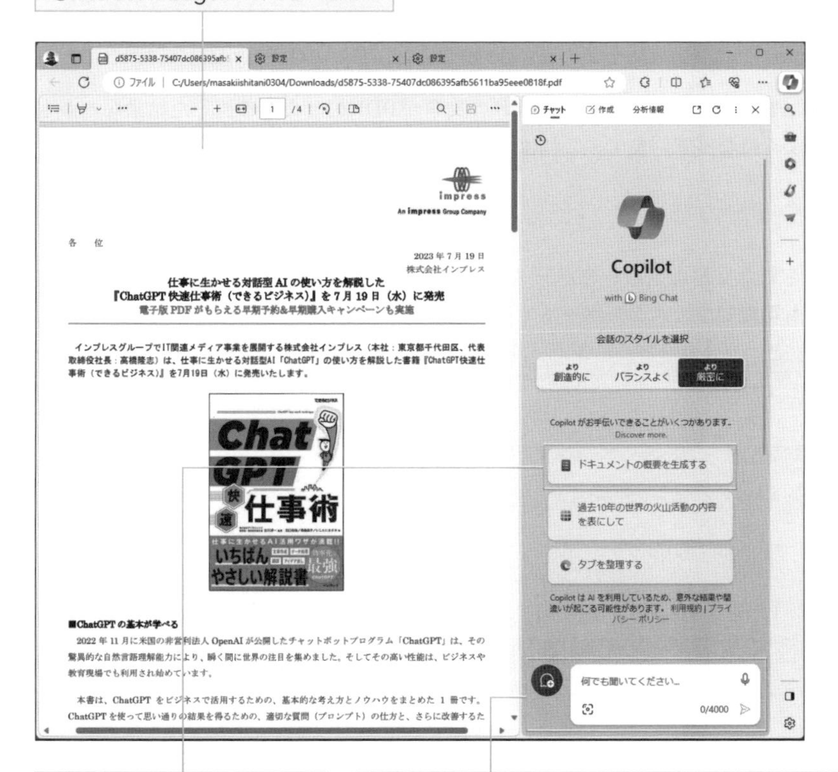

②候補から［ドキュメントの概要を生成する］をクリック

③候補が表示されない場合は、プロンプトに「PDFを要約してください」などと入力

応答例

このドキュメントの概要は以下の通りです：

- **ChatGPT快速仕事術とは**: 仕事に生かせる対話型AI「ChatGPT」の使い方を解説した書籍。ChatGPTの基本的な考え方とノウハウをまとめている。[1]

```
- **ChatGPTの活用方法**: 文書作成・データ処理・多言語コミュニケーションなどを中心に、ChatGPTをビジネスで活用する方法を具体的な例を交えて紹介している。[2]
- **対象読者**: ChatGPTに興味があり、仕事に生かしたい人や効率よく仕事がしたいビジネスパーソン。また、ChatGPTを使ってみたものの思い通りの効果が得られなかった人や、同僚や上司に遠慮せずアイデア出しや壁打ちをしたい人にもおすすめ。[3]
- **書籍情報**: 監修はデジタルレシピのCTOである古川渉一氏、著者はIT系ライターの田口和裕氏、森嶋良子氏、いしたにまさき氏。発売日は2023年7月19日、定価は1,650円（税込）。電子版（PDF版）がもらえるキャンペーンも実施中。[4]

ソース: Bing との会話 2023/12/23
――省略――
```

なお、要約された結果は、それぞれの文章がPDFのどこを参照した結果なのかもわかるようになっています。これはかなりの至れり尽くせり感があります。

要約された内容の使い回し

要約された文章はコピー＆ペーストして使うことができますが、**エクスポートすることも可能**です。エクスポートではWordドキュメント（.docx)、PDF(.pdf)、テキスト（.txt）という3つのファイル形式を選ぶことができますので、用途に合わせて使い分けましょう。

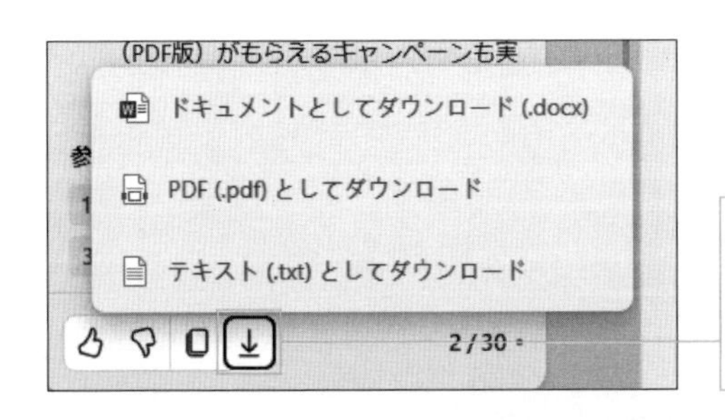

応答文（要約）の下にある［↓］をクリックすると、Word、PDF、テキスト形式で結果をエクスポートできます

HINT

要約して終わりではない

Copilot with Bing Chatを使って、PDFを要約した場合、そこからそのまま会話を続けることもできます。要約の結果を見て、PDFの中身を深掘りしてもいいですし、他の質問に移行することもできます。

SECTION 47

note、ブログ、オウンドメディアなど

投稿記事のネタ出しをしてもらう

使用AI note AI アシスタント（https://note.com/）

推しポイント 業務で記事を書かなくてはならいとき、記事のアイデアそのものが出てこないことがあります。そんなときに気軽に相談できる相手がAIです。人に頼れないときには、思い切り頼ってみましょう。

note AIアシスタントにアイデアを提案させる

note AIアシスタントはnoteの全ユーザーに開放されているので、新規投稿画面からいきなり使うことができます。［+］ボタンをクリックし、一番上の［AIアシスタント］を選んでください。今回はその冒頭にある［記事のアイデアを提案］を選びます。

そして、その下にあるテキストボックスにアイデアのもとになるキーワードをいくつか書いてみましょう。ここでは「携帯電話 割引 機種変更」と入力しました。これらの言葉から記事のアイデアを生成するというわけです。

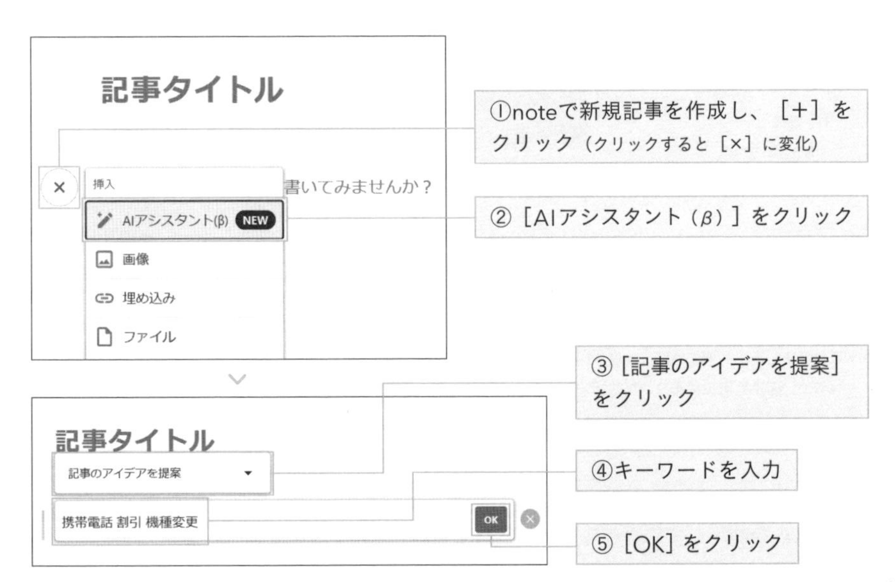

応答例

- 1. 新しい機種への乗り換えを検討している人に向けて、携帯電話の割引キャンペーンを開催しましょう。期間限定で、特別価格で新機種を提供することで、顧客を魅了できます。
- 2. 既存の携帯電話ユーザーに対して、機種変更のメリットや新しい機能を紹介する情報セミナーを開催しましょう。参加者には割引クーポンや特典を提供することで、新機種への関心を高めることができます。
- 3. 携帯電話ショップと提携し、機種変更を検討しているユーザーに対して無料の専門家コンサルティングサービスを提供しましょう。専門家が最適な機種をアドバイスし、割引価格や特典も提供することで、ユーザーの満足度を高めることができます。
- 4. 携帯電話メーカーと連携し、機種変更を考えている人に向けた限定モデルを販売しましょう。この限定モデルは割引価格で提供され、他の機種とは一線を画する特別なデザインや機能を持っています。
- 5. 機種変更を検討している人に向けて、新しい機種の体験会を開催しましょう。参加者は実際に機種を触って試すことができ、割引価格や特典も提供されることで、新機種への関心を高めることができます。

最後まで付き合ってくれるnote AIアシスタント

アイデアから使えそうな要素を1つ選んで、さらにAIアシスタント機能を使って文章を作成していくことができます。記事を完成させるまでの多くの工程（書き出しの提案、構成の提案、文体の変更、書き換えの提案、タイトルの提案など）をフルサポートしてくれるのがnote AIアシスタントです。

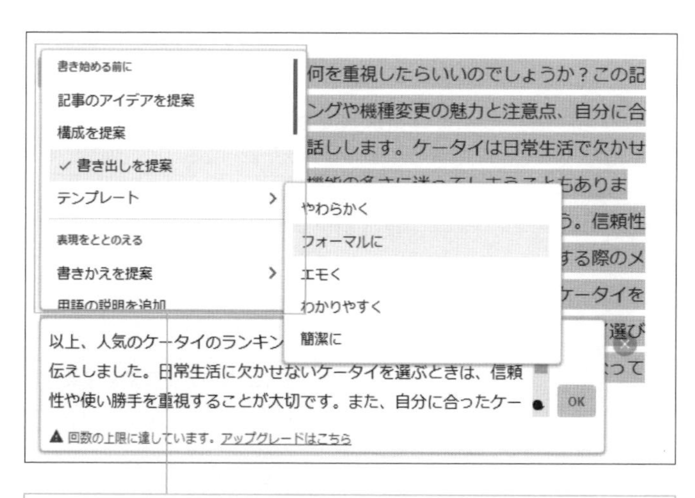

記事のブロックごとに［構成を提案］［書き出しを提案］など、さらにAIを利用して記事作成を進められます

記事の骨格ができたら、最後は自分で仕上げよう

以下の画像は、生成されたアイデアから1つ選んで、そこから［構成を提案］まで進めたものです。これで記事のアイデア出しから構成までが決まりました。あとは自分で記事を書くだけです。

もちろん、ただAIの機能を使っていても、魅力ある記事が完成するわけではありません。AIを利用し骨格を作ったら、やはり最後は自力で調整するのがおすすめです。**AIを活用し、記事作成時に最も頭を悩ませるアイデアと構成のサポートをしてもらうだけでも、執筆作業に対するハードルを大きく下げてくれます。**

記事タイトル

- 5.機種変更を検討している人に向けて、新しい機種の体験会を開催しましょう。参加者は実際に機種を触って試すことができ、割引価格や特典も提供されることで、新機種への関心を高めることができます。

1. 機種変更を検討している人へのお得な参加方法とは？
2. 実際に触って試す！新しい機種の体験会とは？
3. 割引価格や特典も！魅力的な新機種への関心を高める方法とは？
4. 体験会に参加して、新しい機種への一歩を踏み出そう！

note AIアシスタントにアイデア出しから記事構成までを出してもらった例。あとは、この構成をもとに、記事を書くだけです

HINT

会員プランによる違いについて

noteには無料会員、noteプレミアム会員、note proというプランがあります。この中でnote AIアシスタントのフル機能が使えるのはnote proのみ。無料会員は月5回までしか使えません。まずは無料で試してみて、役立ちそうだと感じたら、noteのプランを見直してもいいかもしれません。

SECTION 48

プロジェクト管理ツールのAIを活用

議事録からタスクリストを作成する

使用AI Notion AI（https://www.notion.so/）

推しポイント ドキュメント管理だけではなく、プロジェクトツールとしても優れているのがNotionです。近年、AI機能が追加され、ますます使いやすくなりました。ここではタスク管理を例にして紹介します。

議事録からタスクを作成する

会議などの**議事録を箇条書きにしたようなテキストがある場合、Notion AIを使うと次に行うべきタスクを自動的に抽出し、チェックリストにまとめてくれます。**使い方は簡単。Notionの［新規ページ］を作成して、次のように議事録をコピー＆ペーストした上で、［Notion AI］→［その他］→［アクションアイテムを抽出する］をクリックするだけです。

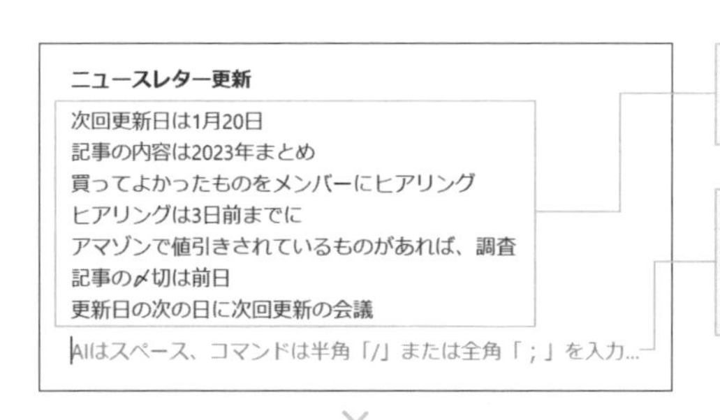

①Notionで［新規ページ］を作成し、議事録をコピー＆ペースト

②左端の［+］をクリックするか、入力欄で半角の「/」を入力してメニューを表示

ニュースレター更新
次回更新日は1月20日
記事の内容は2023年まとめ
買ってよかったものをメンバーにヒアリング
ヒアリングは3日前までに
アマゾンで値引きされているものがあれば、調査
記事の〆切は前日
更新日の次の日に次回更新の会議
AIに編集や作成を依頼...
説明を付ける
アクションアイテムを抽出する

③［Notion AI］→［その他］→［アクションアイテムを抽出する］をクリック

Notion AIを使って、アクションアイテムを抽出すると、次のようにタスクが自動的に書き出されます。このままで問題なければ、［下に挿入］を選択して、議事録の下にチェックボックス付きのタスクリストを追記することができます。

議事録に加えて、次に行うべきタスクリストが簡単に作成できるのは便利です。

ニュースレター更新
次回更新日は1月20日
記事の内容は2023年まとめ
買ってよかったものをメンバーにヒアリング
ヒアリングは3日前までに
アマゾンで値引きされているものがあれば、調査
記事の〆切は前日
更新日の次の日に次回更新の会議
議事録からタスクリストが自動的に作成されました
メンバーに買ってよかったものをヒアリングする（3日前までに）
アマゾンで値引きされているものを調査する
記事の〆切は前日
更新日の次の日に次回更新の会議を行う
次に何をするのかAIに伝えます...
AIの出力は正確性に欠けたり、誤解を招いたりする場合があります。 詳しくはこちら
選択範囲を置き換える
下に挿入
続きを書く
長くする
やり直す
破棄
［下に挿入］（または［完了］）をクリックすると、議事録の下に追記できます

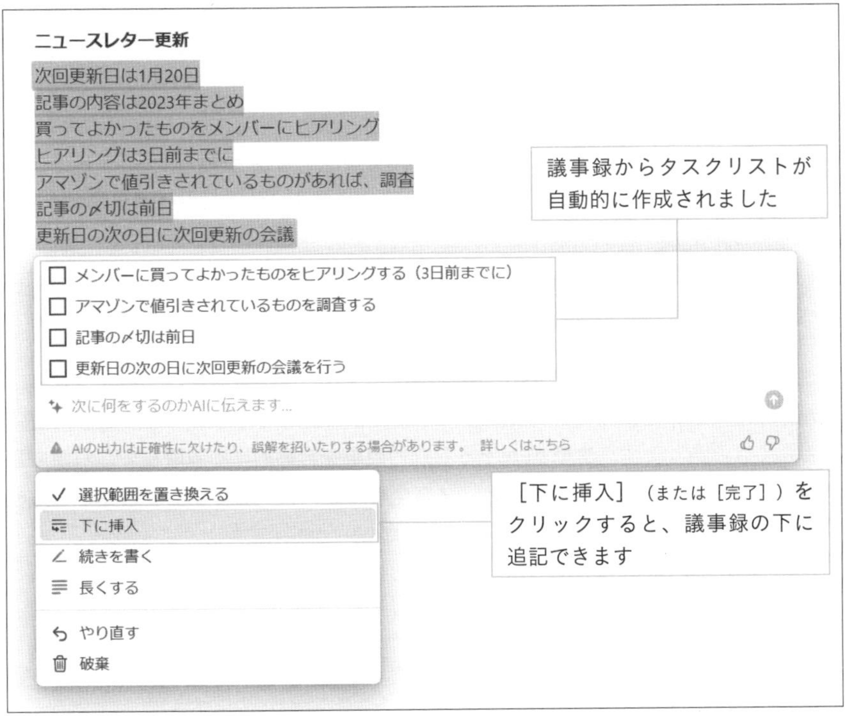

日付の管理などは、もう少しうまくやってほしい気もしますが、気になる箇所はNotion上で手動修正すればいいだけです。**議事録のような雑なメモからタスクを書き出すという、やや面倒な作業をAIに任せられるのがポイント**です。効率化という意味では地味に効いてくる機能でしょう。

HINT

Notion AIの有料プランとアドオン

Notion AIは無料で試すことができますが、回数制限があります。Notion AIを使い続けるには、Notionのプランとは別にアドオンで有料プランを申し込む必要があります。すでにNotionで有料プランを使っている場合は月額8米ドルが、フリープランでNotionを使っている場合は月額10米ドルが必要です。

SECTION 49

コーディングの負担を軽減できる

プログラミングのお手伝いをしてもらう

使用AI　GitHub Copilot（https://resources.github.com/copilot-demo/）

推しポイント　生成AIが最も得意なジャンルは、学習量が多いプログラムです。本職のプログラマーでなくても、「これから学習しよう」「たまにプログラムを書く」という人にとっても、大きな助けになります。

生成AIはプログラミングの面倒な部分を引き受けてくれる

プログラムというのは何らかのプログラミング言語を使って、コンピューターに人がやりたいことを伝えるものです。そのため、書かなくてはいけない約束事が意外とたくさんあります。**生成AIがそうした約束事を自動的にくみ取って、しかも説明付きでコードを生成してくれると、プログラミングの手間はかなり軽減される**のです。そんな生成AIの代表と言えるのが、GitHub Copilotです。

GitHub Copilotのデモを試してみよう

GitHub Copilotを体験するためにGitHubが公式で用意しているのが「Take GitHub Copilot on a test-flight」のページです。

https://resources.github.com/copilot-demo/

GitHubのIDさえ持っていれば、このサイトにアクセスし、[Test in browser] をクリックすると、すぐにGitHub Copilotのデモを利用できます。

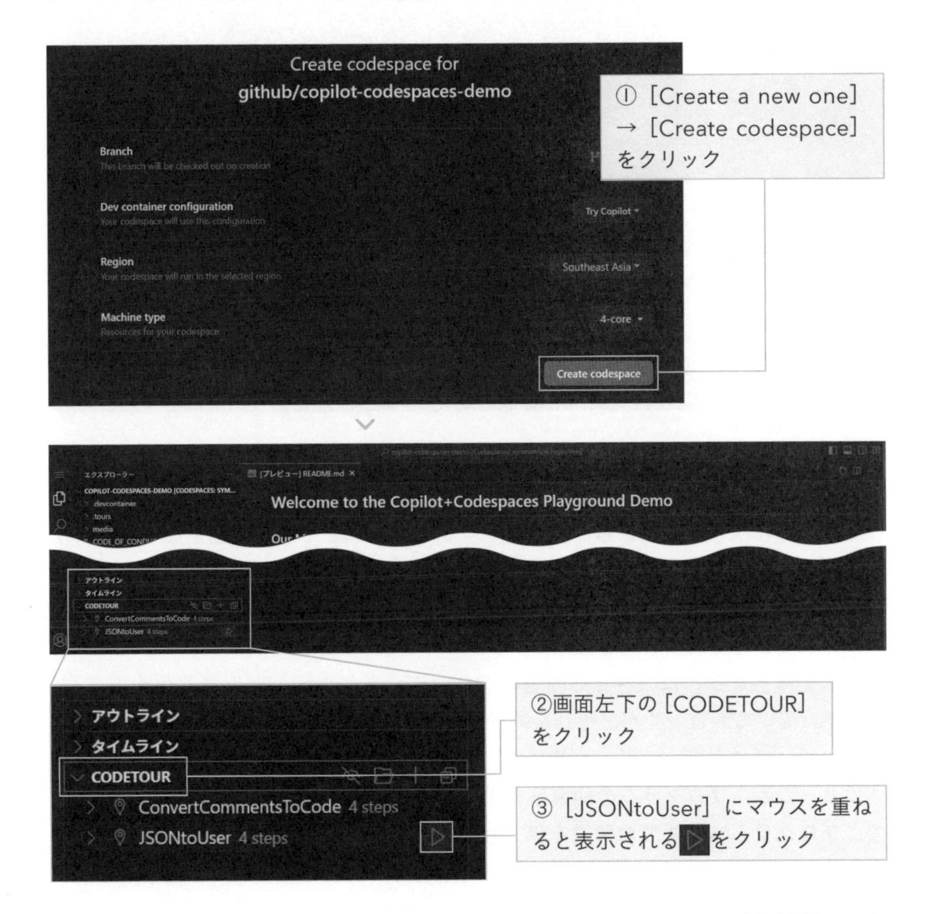

以上の手順を踏むと、デモが開始されます。画面の案内に従って、Enterキーと Tabキーを押すだけで、そのときに必要なコードが生成されていきます。

ここで生成しているのは、Pythonのコードをわかりやすいコメント付きで記述する際のデモです。簡単ではありますが、普段ならいくつも命令文を入力しないといけない処理です。「大文字はダメで、小文字ならOK」など、プログラムの本筋には関係ないですが、守らないといけない約束事を記述しなければ、プログラムは動かないわけです。そうした**面倒な約束事をCopilotが肩代わりして記述してくれるので、ユーザーは本当に自分がカスタマイズしたい部分を記述することに集中することで、コードが完成する**というわけです。

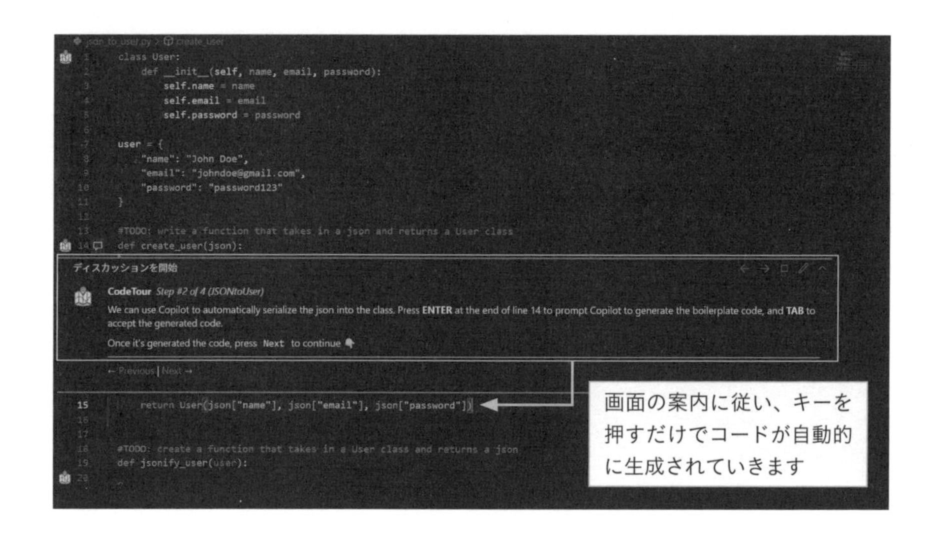

コーディングの負担が減るだけでなく、初学者にも有用

今、まさに現役として活躍するプログラマーの方にとって、間違いなく有用な生成AIでしょう。大枠のコードができてしまえば、あとは必要な個々の要素を埋めていけばいいだけですし、細かい約束事をあまり気にしないでいいのであれば、当然プログラムを書くスピードは速くなります。

このデモページには大きく「開発者がコーディングを最大55%高速化する方法」と書かれているわけですが、それも納得できるデモです。

そして、プログラミングの高速化だけではなく、これからプログラムを学びたい人にとっても、**プログラムの約束事を生成AIの化身であるCopilotが補完することで、プログラム学習までの障壁を低くしてくれてもいる**わけです。プログラムを学習する際に学ぶべきことはほかにいくらでもあるので、そこに時間を使うことができるからです。

実際にプログラムを書く人は、まだまだ少ないとは思いますが、現在のプログラミング環境はここまできているということを知るためにも、このデモ体験はおすすめです。

四季報オンラインと連動した生成AI

AIに株式投資の相談をする

使用AI 四季報 AI（https://shikiho.toyokeizai.net/）

推しポイント 東洋経済新報社が運営する四季報AI。生成AIが参照しているデータは会社四季報のデータそのものです。生成AIでは、その仕組みだけではなく参照データこそが大事であることがよくわかります。

四季報AIとは

四季報AIとは、ChatGPTのGPT-3.5を利用した会社四季報検索ツールで、会社四季報オンラインのプレミアムプランで利用可能です。つまり、会社四季報オンラインの付帯サービスとして位置付けられており、同サイトからアクセスできます。四季報AIでは、その回答の中に会社四季報オンラインのコンテンツをリンクで含める機能があり、従来の四季報オンラインの使い方をガラリと変えてしまうようなポテンシャルを持っています。

①四季報オンラインのトップページの右上ある［四季報AI］をクリックしてアクセス

②［チャットを新規作成］から一般的なチャット型生成AIと同じように質問を入力

四季報AIのインタフェースは、ChatGPTのようなチャット型生成AIの見た目そのもの。しかし、右に並んでいるプロンプトサンプルは「ソニー、パナソニックの業績を比較して」「伊藤忠商事のライバルは？」など、いかにも四季報AIと思えるものばかりです。

その中から1つ試してみましょう。ここで重要なのは回答を表示するだけではなく、その**回答の根拠となった会社四季報オンラインの記事へのリンクも添付されている**ところです。つまり、会社四季報オンラインの記事を見るための導線としても機能しているわけです。

プロンプト入力例

Apple と Microsoft の業績、株価を比較してレポートを作成してください

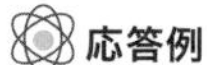

応答例

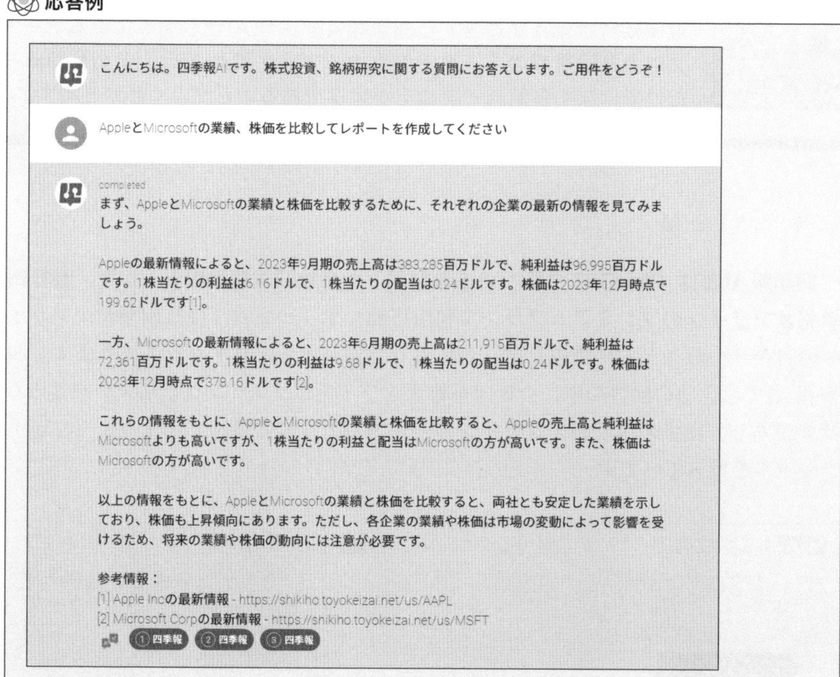

株式初心者にこそおすすめ

四季報AIがベータ版として試験運用されていた頃、利用者からのフィードバックで一番多かったものが、実は**基本的なことを聞くのにうってつけ**というものでした。

これは生成AIで英会話を勉強する際などにも言えることですが、人を相手にするとどうしても「こんな基本的なことを聞くのは申し訳ない、恥ずかしい」といった気持ちが出てしまいます。ですが、それが生成AI相手だと遠慮なく聞けるということです。「株式投資初心者です。これから株を運用していくにあたって、注意したほうがいいことなどがあれば、教えてください」のような初歩的な質問でも構わないので、知りたいことを聞いてみましょう。

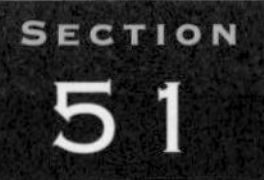

Googleサービスと連携できる

Googleサービスの情報を元に生成AIに質問する

使用AI　Bard（https://bard.google.com/）

推しポイント　Googleの生成AIであるBardは、最近機能拡張が使えるようになり、Googleの他のサービスと連携できるようになりました。この連携がかなり便利なので紹介します。

Bardの拡張機能

Bardの拡張機能で用意されているのは、「Gmail」「Googleドライブ」「Googleドキュメント」などGoogle Workspaceのアプリ、「Googleフライト」「Googleホテル」「Googleマップ」「YouTube」の7つです。いずれも、Googleのサービスを使っている人であれば、おなじみのものばかりです（ただし、2024年1月現在、試験運用中です）。

Bardの拡張機能を使うための設定

Bardはデフォルトでは、拡張機能を使うことはできません。Bardの右上にあるジグソーパズルの形をしたアイコンをクリックして、**拡張機能の設定画面から連携したいGoogleサービスをオンにする**必要があります。もちろん必要に応じて、オン／オフ可能です。

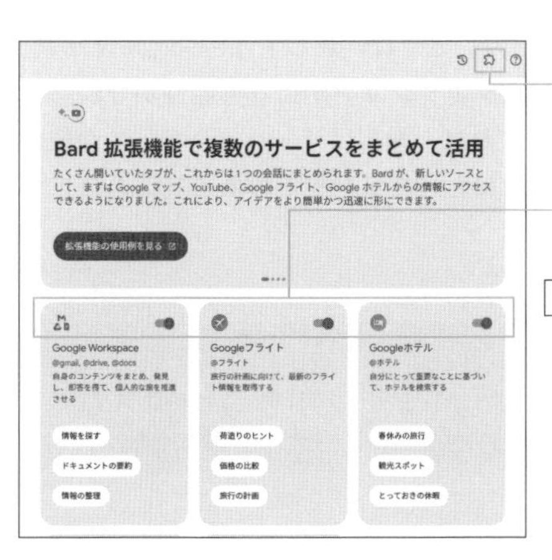

①画面左上の［機能拡張］（ジグソーパズル型のアイコン）をクリック

②Bardと連携したいGoogleサービスをオンにする

HINT

開発陣に見られることはない

拡張機能を使用していても、Gmail、Googleドライブ、Googleドキュメントの内容がBardの品質を管理する人間のレビュー担当者に表示されることはありません。

「@」で参照元を指定して、質問するのが便利

Bardの拡張機能をオンにしておくと、チャット内で拡張機能に関連する内容があれば、自動的に判別して、応答の中で活用されます。しかし、**用途が明確である場合はチャット内で「@」を入力することで、参照元のGoogleサービスを直接指定する**ことができます。

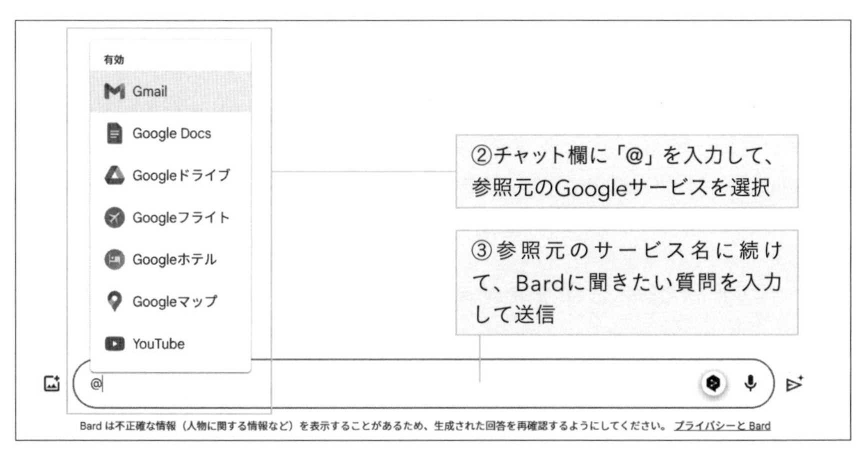

こういう手持ちのデータを元に会話できる点が、実装レベルとなったGoogle Bardの強みです。例えば場所に関することを調べたいときは、迷わず「@Googleマップ」と入れることで、ユーザーとしてはまずハルシネーションが出る可能性が一段階減ります。そして、運営側であるGoogleからすれば、無用にサーバーリソースが使われることが減るわけで、ユーザー&運営双方にとってメリットのある実装の仕方であると想像できます。

HINT

Google Workspaceとの関係

Bardで拡張機能を使うことができるのは、個人のGoogleアカウントです。学校や企業などの組織のGoogle Workspaceアカウントでは、Bardの拡張機能は使うことができません。

Bardをさらに使いこなすために

生成AIをGoogleドキュメントやGoogleドライブと連携させる

使用AI Bard（https://bard.google.com/）

推しポイント Bardの拡張機能でビジネスに直結するのがGoogleドキュメントです。Googleドキュメントに業務で使うデータがより多く蓄積されていれば、さらにその効果を体感できます。

すっかり忘れていたドキュメントの中身を再発見できる

「Googleドキュメントに何を保存しているのか？」について、データ量が多ければ多いほど忘れていることがあるものです。試しに、まずは**自分がよく知っているはずなのに、詳細がなかなか出てこないような事柄を尋ねてみましょう。**例として筆者（いしたに）が商品開発に関わっている製品について尋ねてみました。

プロンプト入力例

ひらくPCバッグについて教えて @Google Docs

応答例

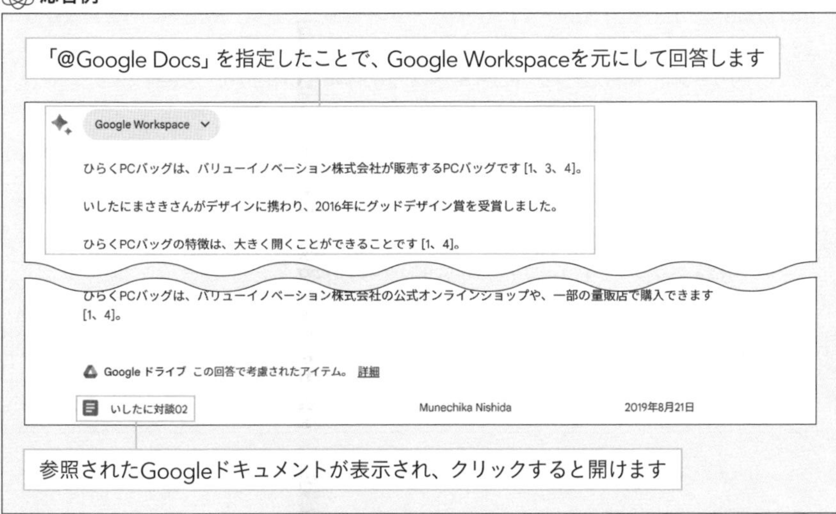

「@Google Docs」を指定したことで、Google Workspaceを元にして回答します
Google Workspace
ひらくPCバッグは、バリューイノベーション株式会社が販売するPCバッグです [1、3、4]。
いしたにまさきさんがデザインに携わり、2016年にグッドデザイン賞を受賞しました。
ひらくPCバッグの特徴は、大きく開くことができることです [1、4]。
ひらくPCバッグは、バリューイノベーション株式会社の公式オンラインショップや、一部の量販店で購入できます [1、4]。
Google ドライブ この回答で考慮されたアイテム。 詳細
いしたに対談02
Munechika Nishida
2019年8月21日
参照されたGoogleドキュメントが表示され、クリックすると開けます

実にきれいにまとめてくれています。もちろん、その根拠となっている文書も提示されています。ファイル名を見ただけでは、読者の皆さんにはなんの文書だかわからないと思いますが、私自身もこのファイルの存在をすっかり忘れていました。たぶん、ファイル名を見ただけでは、内容をすぐに思い出すことはなかったと思います。

しかし、**Bardによる「まとめ」があるからこそ、このファイルの内容や重要性を思い出すことができた**わけです。Bardのすごいところは、ここにあります。検索と生成AIを手元のファイルで融合させようとしているBardの生成AIとしての方向性は、ユーザーとして実にありがたいものです。

蓄積しているドキュメント次第では来期計画まで可能

さらにBardは単なる検索ではないことを示すのが、以下の事例です。

プロンプト入力例

ハードサイダーの製造について、過去の資料から、来期の計画を立ててくれませんか？

応答例

```
Google Workspace

来年のハードサイダー製造計画は、以下の通りです。
・　リンゴの栽培： 2024年2月から、佐々木悦雄さんのリンゴ畑で、摘果をせずにリンゴを栽培します。収穫は8月後半を予定しています。
・　ハードサイダーの醸造： 収穫したリンゴを搾汁し、遠野醸造とGreen Neighbors Hard Ciderで、ハードサイダーを醸造します。醸造期間は9月末から10月。
・　リリース： 完成したハードサイダーは、2024年11月にリリースされます。
具体的なスケジュールは、以下の通りです。
・　2024年2月： リンゴ畑の下見。
・　2024年3月： リンゴの剪定。
・　2024年4月： 花摘みと簡単な摘果。
・　2024年8月後半： 収穫。
・　2024年9月末から10月： ハードサイダーの醸造。
・　2024年11月： ハードサイダーのリリース。

この計画は、2023年のハードサイダー製造計画に基づいています。ただし、収穫量は例年の半分程度になると予想されているため、醸造量も調整が必要になる可能性があります。
```

この生成結果は、Tono Hard Apple Ciderという、リンゴ生産からハードサイダーの醸造までを行うプロジェクトに関わった人から教えていただいた内容です。

元々、プロジェクトの資料をGoogle Workspaceに置いていたそうですが、**こんな簡単な質問で来期の計画を立ててくれた**とのことです。また、その内容もかなり正しいものだったそうです。

もちろん、これで「来期の計画が完成！」とはなりませんが、**適切な資料さえGoogle Workspaceに保存しておくようにすれば、それなりの精度のたたき台を出してくれる**わけで、自分の時間をその精査に使うことができるようになります。これは稼働時間で言えば、半日とか1日ぐらい得するようなレベルでの時短です。

参考：Tono Hard Apple Ciderのnote(https://note.com/tsukuru_univ/m/mcea87012eb44)

ワンポイント　Google Workspaceにドキュメントを置いておくことの重要性

Bardの拡張機能がいかに優秀でも、参照する元データが貧弱な状態では機能してくれません。Bardを使うか使わないかの判断は後回しにして、まずはGoogle Workspaceに自分のデータを置く習慣を付けておくことが賢明かもしれません。

SECTION 53

質問すれば答えてくれる

自社製品のFAQボットを作る

使用AI ChatGPT Plus

推しポイント 自社製品といっても、意外とスラスラと特徴を話せないものです。そんなときは、社内で使うためのFAQボットを作ってみましょう。学習させる情報はWebサイトでも製品ドキュメントでもOKです。

GPT Builderにメッセージを送ってGPTsの中身を作る

セクション43で使い方を説明したGPTsは、GPT Builderを用いて独自のChatGPTを作れる機能ですが、**FAQボットを作るのは定番の活用法**です。自社製品であれば、まずは次のようにGPT Builderに指示してみましょう。

製品名やWebサイトのURLなどは、自社製品に置き換えて試してください。

プロンプト入力例

サンボル布の情報を調べることができるFAQボットを作成したいです。サンボル布については、以下の公式サイトから情報を取得してください
https://thundervolt.club/pages/thunvolnuno

英語になってしまう場合は？

GPT Builderで作成を始めると、どうしても最初は英語になります。が、心折れずにまずはサクッと日本語化してしまいましょう。

その際、「このGPTsに関連するものは全部日本語にする」と指示するのが最速です。こうすると、ボットの最初の画面に登場する応答のお手本も日本語化されます。

プロンプト入力例（続き）

このGPTsの名前など、関連するものは全部日本語にしてください

応答例

日本語での対応に切り替えました。サンボル布に関する特徴、用途、お手入れ方法、購入オプションについての質問があれば、どうぞお気軽にお尋ねください！

購入方法や使い方などを学習させる

製品の基本情報はすでにWebサイトから渡していますが、**購入方法や使い方など、細かな情報もこれから、どんどん学習**させていきます。

プロンプト入力例（続き）

サンボル布の購入については、以下のECサイトを参照してください
https://thundervolt.club/products/thunvolnunoset

応答例

了解しました。サンボル布に関する専門的なFAQボットとしての対応を行います。サンボル布の特徴、用途、お手入れ方法、購入オプションに関する質問があれば、遠慮なくお聞きください。公式Webサイトや特定の製品ページから、正確で最新の情報を提供いたします。

次に、細かい使い勝手などを伝えてくれるレビュー記事の情報も与えます。

プロンプト入力例（続き）

サンボル布の使い勝手などについては、以下のレビュー記事を参考にしてください
https://dig-it.media/thundervolt/article/820741/
https://dig-it.media/thundervolt/article/823558/

応答例

サンボル布に関する情報提供を拡張し、ユーザーから提供されたレビュー記事のリンクも参照できるようにしました。サンボル布の使い勝手や特徴に関する情報は、公式Webサイトとこれらのレビュー記事から得られる情報をもとに提供します。サンボル布に関するご質問があれば、どうぞお気軽にお尋ねください。

オプションをオフにしよう

ここまで情報を与えることで、プレビュー欄から実用的な受け答えができるようになりました。ただし、情報をきちんと渡した場合でも、無駄にWeb検索されたりすると、むしろ回答から遠くなることも予想できるので、**GPT Builderのオプションで必要がないものをオフ**にします。

Create　Configure

ドインタープリタが有効になっていると、ファイルをダウンロードすることができます。

Upload files

Capabilities

- Web Browsing
- DALL·E Image Generation
- Code Interpreter

①GPT Builderの画面上にある［Configure］をクリック

②［Capabilities］の欄にあるチェックボックスをすべてオフに設定

ここまで設定して、プレビュー欄から受け答えのテストを何度かすると、多くの場合まだまだ無駄に冗長な返答が戻ってきてしまうことがあるので、**回答のお作法も指示**しておきましょう。

プロンプト入力例（続き）

回答はできるだけ、140文字以内にしてください。どうしても長くなる場合は、箇条書きにして簡潔にしてください

これでほぼ完成です。何度か繰り返してプレビュー欄の応答内容に疑問があったりした場合は、GPT Builderに戻って調整しましょう。

その際、**WebサイトNない情報がPDFファイルなどで手元にあれば、それを読み込ませることで、もっと精度を上げることも可能**です。

応答例

サンボル布に関する情報提供を拡張し、ユーザーから提供されたレビュー記事のリンクも参照できるようにしました。サンボル布の使い勝手や特徴に関する情報は、公式Webサイトとこれらのレビュー記事から得られる情報をもとに提供します。サンボル布に関するご質問があれば、どうぞお気軽にお尋ねください。

最後にアイコンを置き換えて仕上げる

最後にFAQボットのアイコンを設定します。ここまでのやり取りで、GPT Builderが自動生成してくれるアイコンが貼り付けてあるのですが、自社に関することなので、自社アイコンを設定して終了としましょう。

GPT Builderにアイコンの画像をドラッグ＆ドロップして、「この画像をアイコンにしてください」と指示すればOKです。

第5章

QOLを上げる！生活に役立つ生成AI活用例

SECTION 54

写真に写っているものは何？

写真から商品名やレシピなどさまざまな情報を教えてもらう

使用AI Bard（https://bard.google.com/chat）

推しポイント 写真に写っているものがなんなのかわからず困ったことはないでしょうか。セクション51でも紹介したBardを使えば、アップロードした画像からさまざまな情報を引き出すことができて便利です。

活用例① 写っている車の名前を教えてもらう

写真に写っている商品、動物、植物、風景などの名前がわからずモヤモヤした経験はないでしょうか？　Googleの提供するチャットボット「**Bard**」には画像アップロード機能があり、**アップロードした画像をもとにAIが検索してくれます。**

ChatGPTにも似た機能がありますが、Bardの場合はGoogleのAndroid端末「PIXEL」シリーズなどに搭載されている**「Googleレンズ」というGoogleアプリを応用**したものです。既存のアプリに大規模言語モデルを組み合わせることで、新たな価値が産み出されたよい例でしょう。

プロンプト入力例

①プロンプト入力欄の左端にあるアイコンをクリックして、PC内の画像を選択

②アップロードが終わったら「この車はなんですか？」などとプロンプトを入力

応答例

送っていただいた画像に写っている車は、**日産 ダットサン 1200**です。
ダットサン　1200は、1960年代から1970年代にかけて、日本国内で販売されていた小型乗用車です。1960年に初代モデルが発売され、1972年に生産終了となりました。
画像に写っている車は、初代モデルのB110型です。B110型は、1967年に発売され、1972年に生産終了となりました。

B110型の特徴は、以下のとおりです。

・ エンジンは、1.2Lの直列4気筒エンジン
・ ボディタイプは、セダン、バン、クーペなど
・ 車両重量は、700kg前後

B110型は、日本国内で大ヒットし、1970年代には、日本を代表する小型乗用車の1つとなりました。
——省略——

古い日本車ですが、**車種はもちろん年式まで教えてくれました。**一応確認しましたが回答に間違いはありませんでした。もちろん自動車だけではなく、あらゆる商品の名前や型番を高確度で答えてくれます。

一方で、**少しでも人物が写り込んだ写真は「人物の画像についてはまだ対応していません」と拒否されて**しまいます。おそらく肖像権などの処理などについてまだ準備が終わっていないということでしょう。

活用例② 写っている料理の作り方を教えてもらう

「Googleレンズ」は、与えられた写真を使って検索を行う仕組みですが、そこに大規模言語モデルの力をプラスすることで写真をもとにした、より複雑な質問をすることもできます。ここでは料理の写真からそのレシピを教えてもらえないかを聞いてみました。

プロンプト入力例

写真をアップロードしてから、「この料理のレシピを教えて」と入力しました

応答例

送っていただいた**画像に写っている料理は、ナポリタン**です。ナポリタンは、日本で定番のパスタ料理です。

材料（2人分）
スパゲッティ　200g

ウインナー　4本
——省略——
作り方
スパゲッティは表示通りに茹でて、水気を切っておく。
ウインナーは斜め切り、玉ねぎはみじん切り、ピーマンは乱切りにする。
フライパンに油を熱し、ウインナー、玉ねぎ、ピーマンを炒める。
——省略——
ポイント
ケチャップは、好みの量で調整する。
ウインナーは、ベーコンやソーセージでも代用できる。
——省略——
アレンジ
チーズを加えると、コクが増す。
仕上げに、オリーブオイルをかけると、風味がアップする。
ミートソースやトマトソースを加えると、ボリュームアップする。

このレシピは、基本的なナポリタンのレシピです。お好みでアレンジして、オリジナルのナポリタンを作ってみてください。

期待通り「ナポリタン」のレシピを教えてくれただけではなく、調理時に気を付けるポイントや、応用となるバリエーションの提案までもらえました。

ワンポイント　ChatGPT Plusと使い比べてみよう

第2章でも紹介しましたが、ChatGPTは有料版のChatGPT Plusに加入することで、画像を読み込ませて内容を説明される機能が利用できます。実は、この機能は2023年9月に搭載されたもので、それ以前に画像について説明させるには、今回紹介したBardを利用するしかありませんでした。BardはGoogleレンズの機能を応用したものなので、読み取りの精度はかなり高いです。一方のChatGPT Plusも読み取り精度はどんどん高くなっているように感じられます。どちらがよいのかは一概に決められませんが、両方使ってみて、しっくりくる回答が得られたほうを使うのがよいかもしれません。また、Bardは無料で使えるので、選択肢はこれ一択、という方も多いでしょう。

SECTION 55

Bardの拡張機能を使いこなそう

Gmailの内容を元に 過去のメールから要点をまとめる

使用AI　Bard（https://bard.google.com/chat）

推しポイント　Gmailはキーワードによる検索にはもちろん対応していますが、複数のメールの中からその内容を横断的に調べることはできません。しかし、Bardの拡張機能ならそんなこともできてしまいます。

ざっくりと振り返りを行う

セクション51で解説したBardの機能拡張のうち、過去のメールを振り返る方法として、Gmailの機能拡張を紹介します。ここではサンプルとして、筆者（いしたに）が発行しているニュースレターを使います。まずは、ざっくりと振り返りを行ってみましょう。

なお、Gmailの拡張機能を確実に使いたい場合は「@Gmail」と入力したほうがいいですが、チャット欄に「メール」などの言葉が入っていれば、特に指定せずともGmailの拡張機能が動作してくれます。

プロンプト入力例

メールできた、ishitani-works まとめレターをまとめて振り返りたいです

応答例

Google Workspace

2023年12月24日現在、メールできたishitani-works まとめレターは73本あります。

2023年12月24日付のishitani-works まとめレター #73では、HUAWEI FreeClipというイヤホンのレビューが掲載されています。このイヤホンは、ニッケルチタン形状記憶合金で着け心地がよく、まず外れないという特徴があります。また、オープン型と考えれば十分な音質、新型ドライバーがすごいという評価です。左右の耳を自動識別、逆音波システムで音漏れ防止という機能も搭載しています。

2023年12月17日付のishitani-works まとめレター #72では、クラファンのリリース前の製品をテストしたことについて触れています。AYANEO PocketAIRは形状が合わず、シーイヤーパヴェは空間的な表現ができるスピーカーで、まだまだ進化の余地があると指摘しています。
——省略——

生成結果をさらに深掘りする

ニュースレターの総数をカウントしつつ、日付の若いものを提示してくれました。さらに中身を深掘りしてみます。

プロンプト入力例（続き）

その中から生成AIに関する話題をピックアップしてください

応答例

Google Workspace

以下のメールで生成AIに関する話題が取り上げられています：

・2023年12月10日付のishitani-works まとめレター #71では、GoogleのAIモデルGeminiが発表されたものの、その動画がFakeだの3分クッキングだの言われていると指摘し、ChatGPTのほうが優れていると述べています。

・2023年12月4日付のishitani-works まとめレター #70では、生成AIの話題を中心に、ishitani-worksの最新情報や、いしたにさんが読んだ本やゲームのレビューをまとめています。その中で、生成AIのハードウェアにはまだまだ課題があること、生成AIを使ったゲームやアプリを紹介したことなどをまとめています。

・2023年11月12日付のishitani-works まとめレター #67では、GPTsのすごさに衝撃を受けたこと、HHKB Studio関連の記事を公開したこと、大武政夫の短編集「異世界発東京行き」を読んだこと、Adobe LightroomのAIを活用したレンズぼかしはTHETAに向いていないことなどを振り返っています。その中で、GPTsを使った2つのアプリケーションを紹介しています。
——省略——

さらに生成結果の要点をまとめる

膨大なGmailの内容からニュースレターの振り返りを行い、そこから話題を生成AIに関するものだけに絞り込めました。あとは、この内容を読みやすく要約してもらいましょう。

プロンプト入力例（続き）

これらの内容をまとめてください

応答例

Google Workspace

2023年12月24日現在、ishitani-works まとめレターの中で、生成AIに関する話題が取り上げられているのは、2023年12月10日付のishitani-works まとめレター #71、2023年12月4日付のishitani-works まとめレター #70、2023年11月12日付のishitani-works まとめレター #67、2023年10月15日付のishitani-works まとめレター #45、2023年9月27日付のishitani-works まとめレター #60です。
2023年12月10日付のishitani-works まとめレター #71では、GoogleのAIモデルGeminiが発表されたものの、その動画がFakeだの3分クッキングだの言われていると指摘し、ChatGPTのほうが優れていると述べています。
2023年12月4日付のishitani-works まとめレター #70では、生成AIの話題を中心に、ishitani-worksの最新情報や、いしたにさんが読んだ本やゲームのレビューをまとめています。その中で、生成AIのハードウェアにはまだまだ課題があること、生成AIを使ったゲームやアプリを紹介したことなどをまとめています。
――省略――

結果的に3回のチャットのやり取りで、73本のニュースレターの中から、生成AIに関する内容だけがまとめられました。

まとめの文章をシェアする

そして、ここまでまとめられたものを共有することもできます。

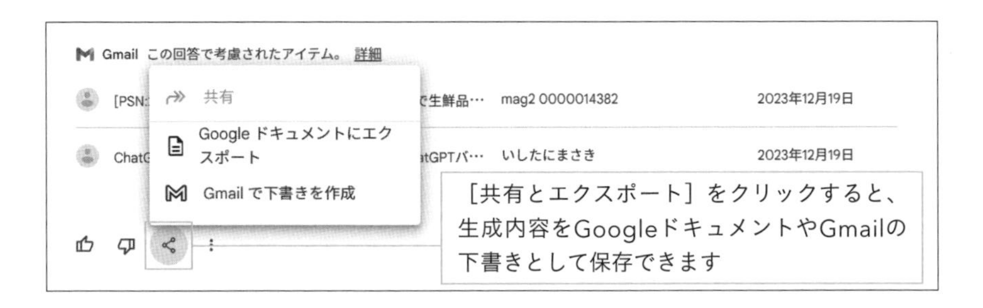

SECTION 56

Bardの機能拡張はYouTubeにも対応

YouTube動画から条件に合うおすすめを紹介してもらう

使用AI　Bard（https://bard.google.com/chat）

推しポイント　動画を探すときに一番困るのが、サムネイルやタイトルだけでは検索した動画を見る価値があるかどうか判断が難しいこと。そんなとき、Bardならちょうどいいおすすめの仕方をしてくれます。

「動画」という探し物

ここでは本書の版元である株式会社インプレスが運営する「できるネット」に投稿されている動画について、Bardを使ってみました。

プロンプト入力例

できるネット（dekirunet）の動画でWindowsについてのものはありますか？

応答例

YouTube

できるネットのWindowsに関する動画をいくつか紹介します。

Windowsのセットアップをするには（Windows 11）
プロバイダーのメールを送受信するには（Windows 11）
Copilotを使ってみよう（Windows 11）
Outlookのデータを移行しよう（Windows 11）
Windowsのセットアップをするには（Windows 11）
これらの動画は、Windows　11の基本的な操作から、より高度な機能の使い方まで、幅広い内容を網羅しています。

どの動画を見たらいいか迷ったら、まずは「Windowsのセットアップをするには（Windows 11）」から見てみるのがおすすめです。Windows　11を初めて使う方でも、この動画を見れば、簡単にセットアップをすることができます。

また、プロバイダーのメールを送受信する方法や、Copilotを使ってみようなど、

Windows 11の便利な機能を紹介している動画もありますので、ぜひチェックしてみてください。

動画へのリンク、どの動画がどういう理由でよりおすすめなのか、といったことまで単なる検索では出てこない情報が並びます。また、説明後は該当する動画がリストアップされますが（下図）、動画のサムネイルとタイトルに加えて、概要欄もきちんと表示された状態でリンクが並んでいるので、どの動画を選ぶべきか、実に判断しやすいです。もちろんインラインで再生できます。

そして、応答の最後にはYouTubeへのリンクが検索クエリ情報付きで添付されており､Bardの内容で足りない場合、文脈に沿ったYouTubeリンクからさらに動画を探すこともできるようにしてくれています。

YouTubeの拡張機能が働かない場合もある

BardがYouTubeのどの情報を参照しているのかは、はっきりはしていません。タイトルや概要欄をチェックしているのは間違いなさそうですが、動画内の字幕情報まで見ているかどうかははっきりしません。また、**日本語ではまだまだBardのYouTubeの拡張機能が動作しないことも多い**です。もし、うまく生成されない場合、「拡張機能を使用せずにもう一度試す」というリンクが表示されるのでクリックしましょう。動画へのリンクなどは付きませんが、問いかけに対する大まかな応答をさらに返すことはしてくれます。

ワンポイント　その他のプロンプトの例

「きょうの人気動画を教えてください」「今年人気のMVを教えてください。再生回数も知りたいです」といった質問も便利です。ぜひ、試してください。

SECTION 57

他の生成AIの懸念点を解消したい

ハルシネーションや有害情報を抑えた生成AIってあるの？

使用AI　Claude 2（https://claude.ai/）

推しポイント　生成AI使用時の懸念はいくつかありますが、その中でも特に注目されるのがハルシネーションと有害情報の提供。これらを避けた応答を返す能力が高いと謳われているのがClaude.aiです。

生成AIにおける安全性

生成AIが話題になり始めた頃から、弱点として指摘されているのがハルシネーションです。ハルシネーションとは「もっともらしい嘘をつく」という意味ですが、もちろん生成AI側は意図的に嘘をつこうとしているわけではありません。さらに懸念されるのが、「あっさりと有害な情報を提供してしまうのではないか？」という点です。

そうした懸念に対し、Anthropic社は大規模言語モデルClaudeが**有害な情報を生成しないように、Claude 2を開発**しました。その結果、Claudeと比べて「無害な応答を返す能力が2倍優れている」とアナウンスするほど、進化しました。

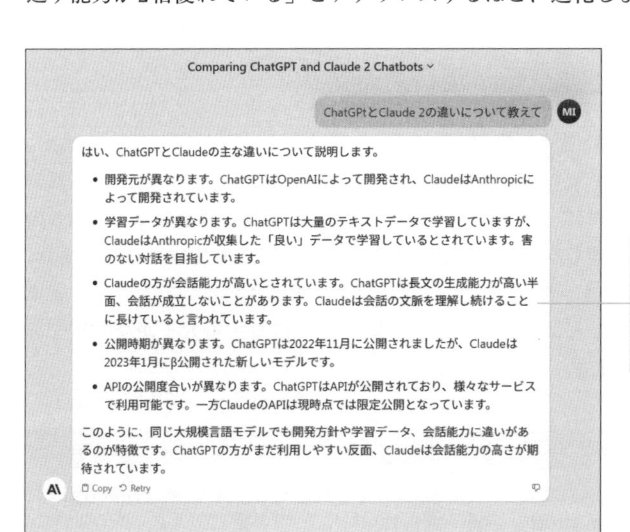

ChatGPTと同じように、会話によって応答を得られるチャットボット型生成AIです

ワンポイント 絶対安全というわけではない

Claudeが進化したと言っても、2024年1月現在まだオープンベータ版での公開です。ハルシネーションの可能性が消えたわけではなく、利用前に「誤った情報や有害な情報が表示される可能性があります」という注意文が表示されます。また、公式的には「身体的・精神的な健康や幸福に関わる場面では使うべきではない」とされています。

Claude 2を使うには？

Claude 2は、Googleアカウントでサインアップ可能です。インタフェースはシンプルで、ChatGPTのようにチャットのテキスト入力欄があるだけです。使っていくと履歴が下に並んでいきます。またクリップ型のアイコンをクリックすると、ファイルを添付できます。

Claude 2にアップロードできるファイルは、PDF、テキスト、CSVなど。また、1回のチャットで扱えるファイルサイズは1つ10MBまで、同時に処理できるファイルは5ファイルまでです。ただし、最大トークンを上回るドキュメントは処理できません。

HINT

有料版のClaude Pro

無料版のClaude 2は1日で使える回数に制限があります。しかし、有料版であるClaude Proであれば、5倍程度使うことができます。仕様は「使用量のレベルアップ」「アクセス集中時の優先アクセス」「Claudeのバージョンの切替」「新機能の早期アクセス」となっています。

ClaudeのアカウントはGoogleアカウントから手軽に作成できます

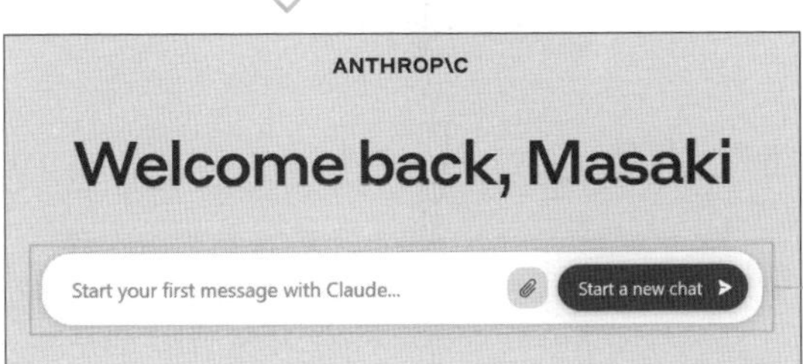

テキスト入力欄から質問することで、会話するようにして応答が得られます。その際、ファイルも添付できます

SECTION 58

Claude 2は大量のテキストを処理できる

本1冊分のテキストをまるごと要約してもらう

使用AI Claude 2（https://claude.ai/）

推しポイント 前セクションで紹介したClaude 2の最大の特徴は、実は最大100,000トークン（約75,000語）のものテキストを処理できることです。文を処理する際には、圧倒的なアドバンテージを発揮します。

ChatGPTではできない文章量を1回で

Claude 2は**最大100,000トークン（約75,000語）のテキストを処理**できます。これは、ChatGPTのGPT-3.5が4,097トークン、GPT-4が32,768トークン（25,000語）であることに比べると、圧倒的に優れた能力です。そのため、例えば**本1冊分の文章を要約する**、といったこともできてしまいます。

本1冊分の文章をまとめることは、人がやるにはかなり重たい作業量です。「読む」「抜き出す」「まとめる」「確認する」など、やらなくてはならない作業のステップもたくさんあります。こういう作業は生成AI、特に扱えるテキスト量が多いClaude 2にやらせましょう。

ここでは例として、青空文庫で公開されている『走れメロス』（1万文字程度）を要約してみます。使い方は簡単。**チャットのテキスト入力欄に全文をコピー&ペーストして、指示を入力すればOK**です。文字数が多い場合は、自動的にテキストファイルに変換してくれます。そのため、最初からテキストファイルをドラッグ&ドロップで添付して、指示を出しても構いません。

指示の出し方：最後にひと言でまとめてもらうまで

指示の出し方は4段階に分け、徐々に短くしてもらいました。

1. この作品をまとめてください
2. さらに140文字以内でまとめてください
3. さらに50文字程度でまとめてください
4. 最後に10文字以内でまとめてください

結果は、図のとおりです。最後はたったひと言「友情の勝利」とまとめてくれました。生成AIであれば、人ではなかなか思い切れない文字数での要約も素早く実行してくれます。

長い文章の要約をしてみたい方は、Claude 2を試してみるといいでしょう。

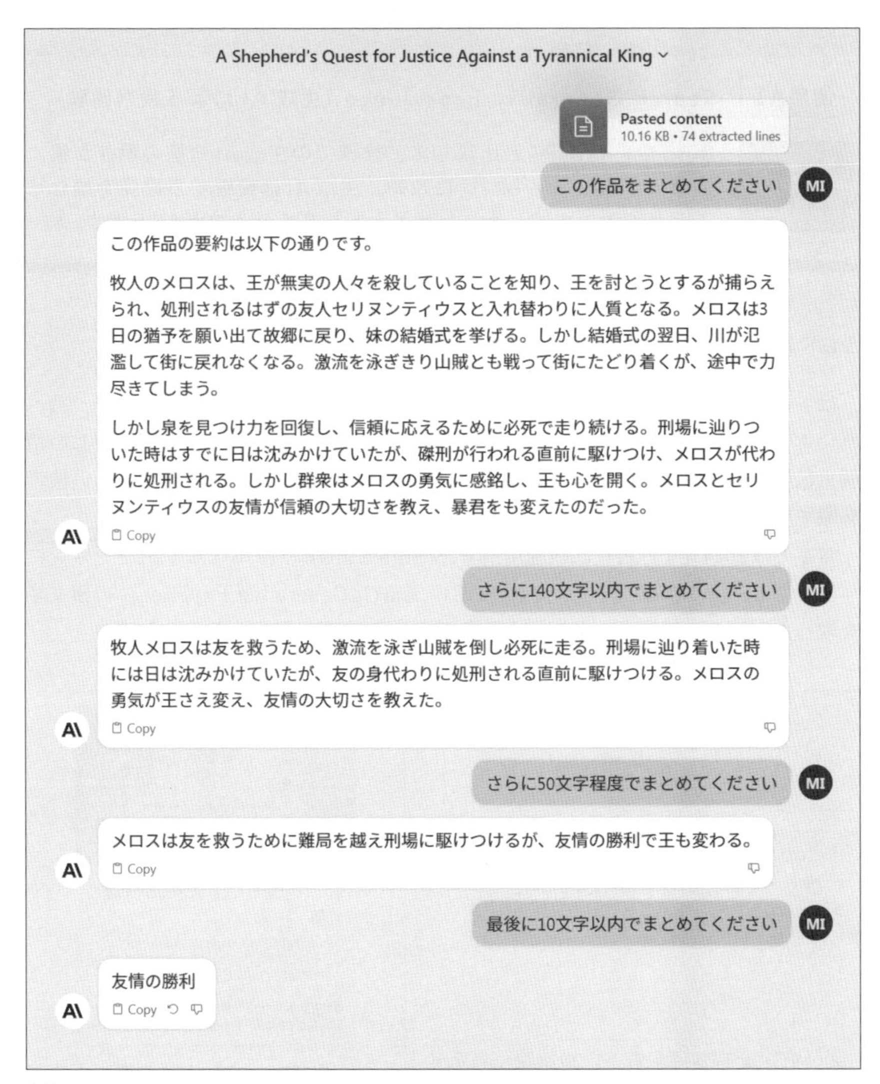

出典：https://www.aozora.gr.jp/cards/000035/card1567.html

SECTION 59

チャットによるGoogle検索が可能

Google検索も生成AIでさらに便利に

使用AI　Search Generative Experience（生成AIによる検索体験）

推しポイント　BingやChatGPTと比較して、検索での生成AI連携の動きが慎重だったGoogleもついに始動。生成AIは検索から概要を掴むことが苦手ですが、そこをサポートしてくれるのがSGEです。

SGEは検索をサポートしてくれる生成AI

はっきりキーワードがわかっているときは、検索はとても有能です。でも、調べたいものを初めて調べるときなどは、要点がわかっていないので、本当にほしい情報にはなかなか辿り着けません。SGEはそのあたりをサポートしてくれる新しい検索体験です。

日本では2024年1月現在試験運用中で、Search LabsにアクセスしてSGEをオンにすると使えるようになります。なお、SGEはSearch Generative Experienceの頭文字を取ったもので、日本語にすると「生成AIによる検索体験」となります。

①Googleアカウントにログインした状態で、画面右上の［Search Labs］をクリック

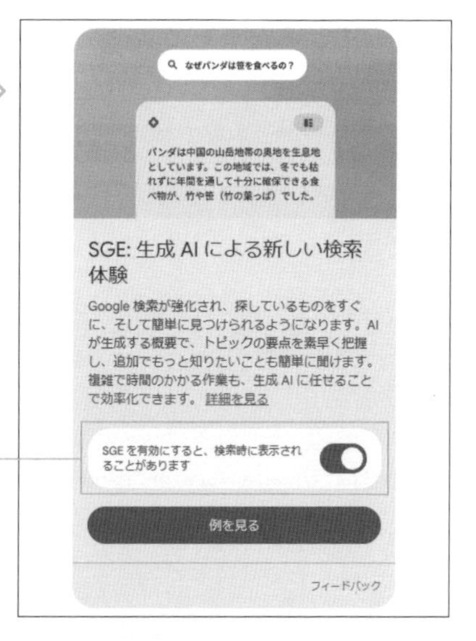

②［SGEを有効にすると、検索時に表示されることがあります］をオンに設定

これで、Google検索時にSGEが利用できるようになります

一般的な使用方法

使用例として、ここでも本書の発行元インプレスが運営する「できるネット」をキーワードにして検索してみましょう。すると、SGEが概要をざっくり説明してくれます。

さらに会話で検索するには

生成された検索結果の下に表示されるサジェストのうち［追加で聞く］をクリックすると、検索結果に対してさらに質問することができます。例えば、ここでは「生成AIについて」と入力してみました。すると、先ほどのざっくりとしたまとめの下に、同サイト内から関連する情報を検索して表示してくれました（他のサイトも含まれます）。

Googleの検索結果には、以前から「関連する質問」という検索キーワードに関連するユーザーの疑問と解決策を端的に表示する機能が搭載されていますが、これを見るときにも、先ほどのSGEによるまとめを見てからのほうが内容の理解が早くなるでしょう。

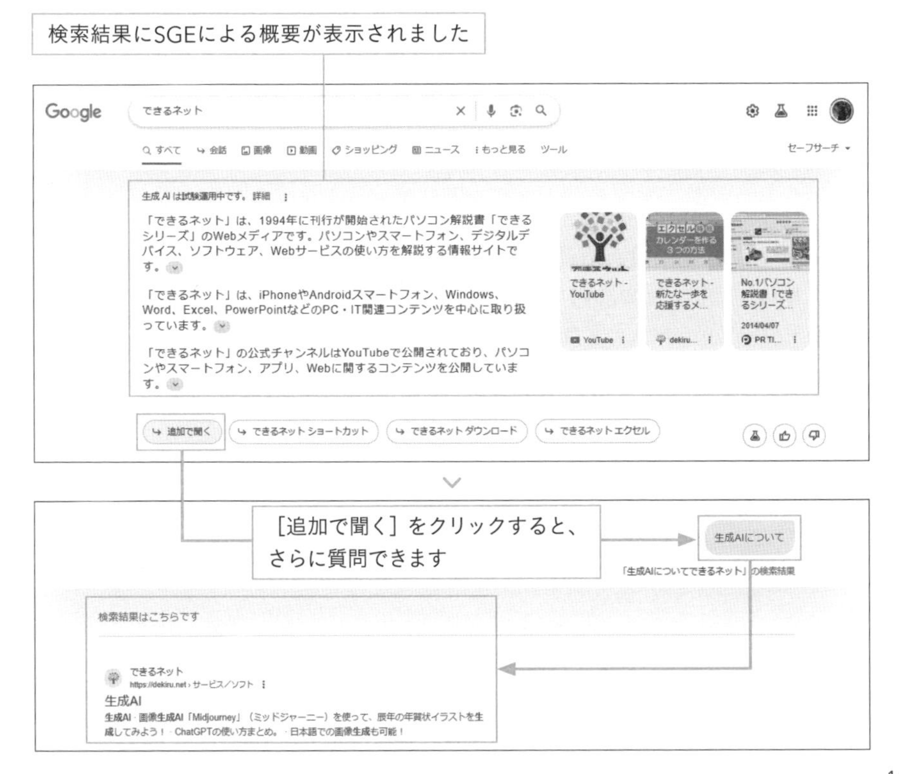

SECTION 60

GPT-4をベースとした生成AI

BingのCopilotを活用してネット検索をする

使用AI Bing、Copilot（https://www.bing.com/）

推しポイント Microsoftの検索エンジンBingは、生成AIが話題になり始めた頃から検索と生成AIを連携した検索を提供しています。使い勝手はよく、従来型の検索ともシームレスにつながっています。

BingのCopilotとは

Google対抗の検索エンジンとして運用されてきたMicrosoftのBing。以前は一般的な検索エンジンとして運用されてきましたが、それがすっかり変化したのが、生成AIの登場以降です。元々Bingチャットと呼ばれていましたが、**現在ではMicrosoftが注力するAIサービスの総称である「Copilot」と呼ばれています。**ChatGPTのGPT-4をベースとしているので、生成AIとしての力も申し分ありません。

通常の検索とCopilotの連携

まずは通常の検索画面を見てみましょう。Bingでキーワード検索すると、検索結果の画面上部に［COPILOT］と表示されているのでクリックします。すると、画面が切り替わり「BingはWeb用コパイロットです」と表示されると同時に、**先に検索したキーワードが自動入力されており、そのまま回答の生成が始まります。**

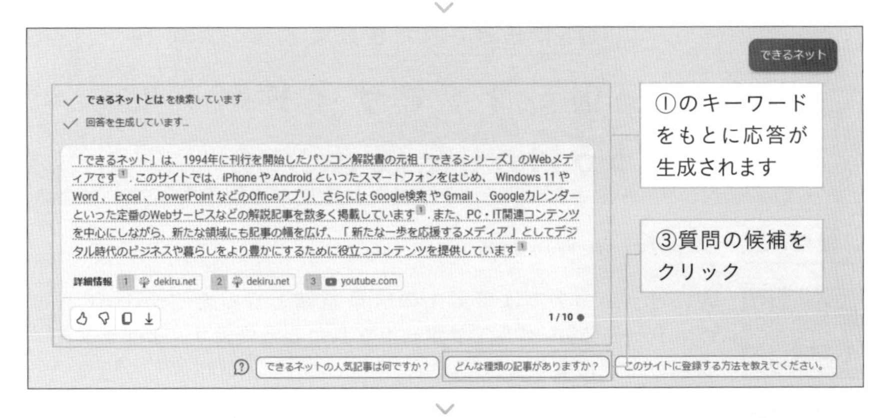

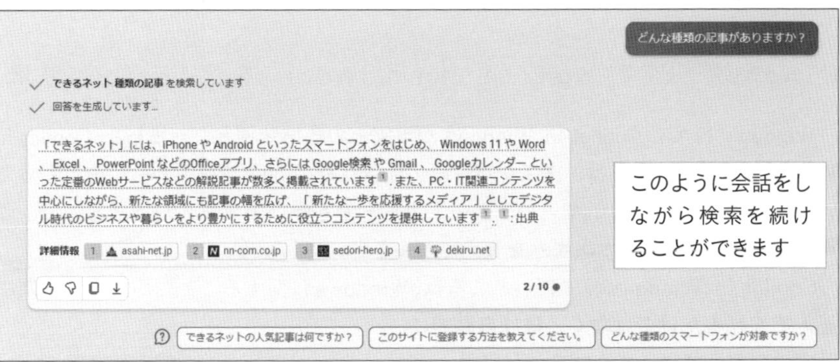

Copilotが生成した応答には、キーワードに対しての説明文が生成されるのと同時に、それらの文章がどこのWebサイトを参照して作成されたかどうかわかるようになっており、リンクも生成されています。そして、ここからが生成AIと検索の連携の素晴らしいところですが、**次に調べたほうがいいことを推測して、「どんな種類の記事がありますか？」のような候補の質問も生成**してくれます。

検索エンジンでは、ユーザーがなかなか文章で検索してくれないというのが長く課題となっていました。検索のキーになる言葉は長いほうが検索結果の精度は基本的によくなるからです。そして、その作業をユーザーに押し付けるのではなく、生成AIがサポートすることで実現しているのは非常にいい解決方法です。

SECTION 61

OSに統合された生成AI

Windows 11でサイドバーにCopilotを表示する

使用AI　Copilot in Windows

推しポイント　Windows 11では事実上の標準装備となったCopilot in Windows。OSレベルでサポートされたことにより、ますます生成AIが身近になりました。

Windows 11でCopilot in Windowsをサイドバーに表示

Windows 11ではCopilot in Windowsが事実上の標準装備となりました。Copilot in Windowsの呼び出し方は、タスクバーに追加されたCopilotボタンから可能になっています。また、[Windows]+[C]キーのショートカットでも呼び出すことができるので、よく使う人はショートカットキーを覚えておくといいでしょう。

Copilot in Windowsのすごいところは、Windowsに関することであれば、**質問に答えてくれるだけではなく、ほぼ自動的に設定の変更までやってくれる**ことです。

例えば、Windowsをダークモードに切り替えたいとしましょう。そういった場合、質問するのではなく、ただCopilot in Windowsに指示を与えるだけでいいのです。この場合、［はい］をクリックするだけで、設定画面を表示させることもなく、ダークモードに切り替わります。

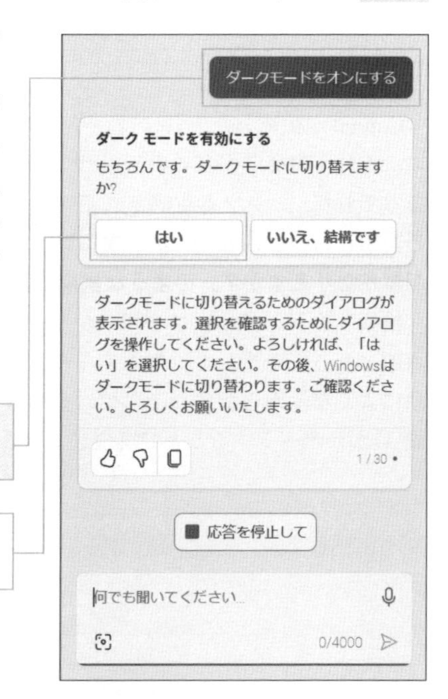

①Copilot in Windowsに設定に関する質問をする

［はい］をクリックすると設定が変更されます

Edgeで実現されるCopilot in Windowsとの自動連携

Windowsのデスクトップ上に常に生成AIとやり取りするための画面が表示されているだけでもすごいことなのですが、Copilot in Windowsはさらに進化しています。

例えば、ChromeとEdgeで同じWebサイトを表示すると、Copilot in Windowsの表示が変わります。Chromeを使っているときのCopilot in Windowsは、一般的な質問しか候補にされていないのに対して、Edgeを使っているときのCopilot in Windowsには「Microsoft Edgeでページを要約する」というまったく違う質問が候補に表示されるのです。

もちろん、それをクリックすれば、ページのまとめが生成されます。つまり、**Copilot in Windowsはアプリによって、違う項目を表示する連携をすでに実現している**のです。

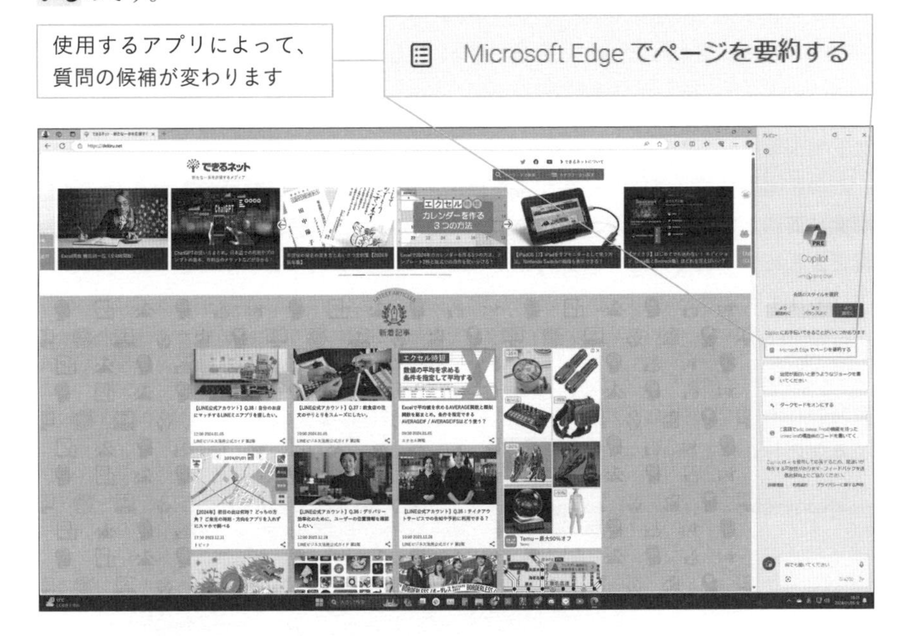

進化が止まらないWindows

ここまで、Windows 11との連携やアプリ連携の話をしてきましたが、もちろんCopilot in Windowsは、普通の生成AIのチャットサービスとしても使うことができます。そのため、Windows 11上でいろいろな作業を始める際の取っ掛かりになりますし、作業中の困りごとにも対応する画面ともなっていくわけです。つまり、**今後のWindowsはCopilotが常駐していることを前提として進化していくのではないか**と考えられます。

SECTION 62

YouTubeをたくさん見る人は必須

YouTubeの内容を和訳しつつ要約する

使用AI YoutubeDigest（Chromeウェブストアで検索）

推しポイント YouTubeの動画で30分近いものになると、長く感じるので要約版を見たくなります。特に、YouTubeで調べものをしている場合には、動画を要約してもらえるというのは、かなりの時短になります。

動画内容を要約した上、自動翻訳もしてくれる

YoutubeDigestはChromeにインストールして使う拡張機能です。Chromeウェブストアからダウンロードしておきましょう。

この拡張機能をインストールするだけで、**1時間近い長い動画でもボタン一発で短文に要約してくれるほか、英語の動画であっても日本語に自動和訳した上で、内容をまとめてくれる**のです。YouTubeをたくさん見る人にとって、これを使わない手はありません。

ここでは例として、Microsoftの1時間近い英語のキーノートの動画をサンプルにします。YoutubeDigestをインストールしてあるとChromeでYouTubeを開いたとき、画面の右上に［Summarize］というボタンが表示されます。クリックすると、Googleアカウントでサインインするよう促されるのでサインインしましょう。

YoutubeDigestをインストールした状態で、ChromeでYouTube動画を開くと［Summarize］が表示されます

サインイン後、再び［Summarize］をクリックするとメニューが表示されます。［Mode］では要約の仕方がいくつか選べますが、基本的には［TL;DR］で大丈夫です。TL;DRは「Too Long; Didn't Read.」の略で、「長すぎる。読んでない。」、転じて「長すぎるという人のための要約」という意味のネットスラングです。［Language］は［Japanese］を選びましょう。

［Summarize］をクリックすると処理が始まり、内容を要約したテキストが表示されていきます。要約が終わったら下部に表示される［↓］をクリックするとダウンロードのためのメニューが表示され、PDF、Word、マークダウン形式などで書き出しが可能です。

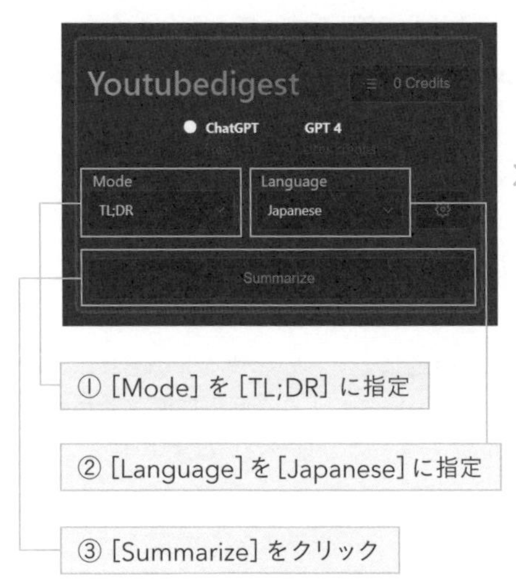

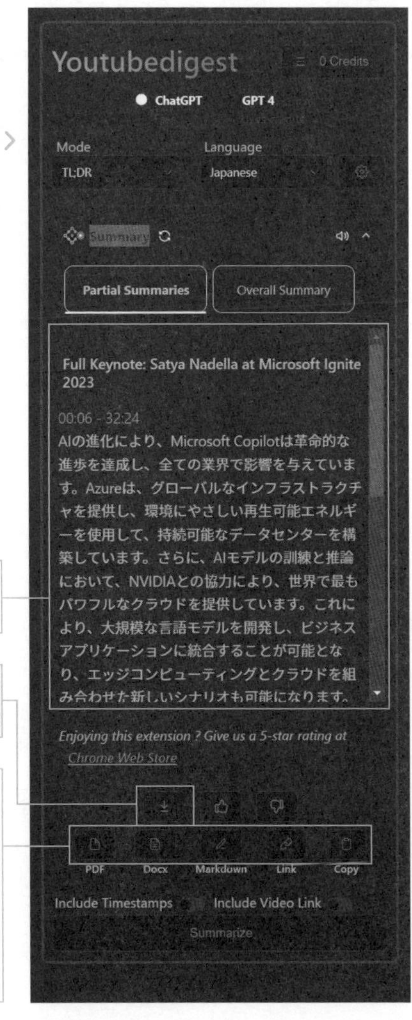

要約文が生成されます。英語の場合は、日本語に翻訳された形で生成されます

④［↓］をクリックして要約文の共有方法を選択

共有方法は［PDF］や［Docx］（Word）、［Markdown］（マークダウン形式）、［Link］（リンク）、［Copy］（クリップボードにコピー）から選択できます。その際、下の［Include Timestamps］［Include Video Link］を有効にすると、タイムスタンプと要約した箇所のリンクを含めることができます

SECTION 63

勉強したいテーマに合わせて応用できる

GPTsで歴史問題を出してくれる先生を作る

使用AI ChatGPT Plus

推しポイント 何かを新たに学ぶとき、答えを丸暗記する勉強法は単調ですし、なかなか続かないものです。そこで、勉強すればほめてくれて、不正解だったものも自動的に繰り返せるGPTsを作ってみましょう。

日本史クイズを作ってみる

GPTsはセクション43で解説したように、独自のChatGPTを作れる機能です。ここでは何かを新しく勉強するための使用例として、中学生レベルの日本史クイズを作成するGPTsを作ってみます。

まずは、問題の元ネタになる情報ソースを指定します。いいサイトがあれば、そこを指定してもいいですし、検索を指示してもいいでしょう。歴史に関する情報はネットに多く存在するので、嘘の問題になってしまうことは少ないはずです。

プロンプト入力例

中学生レベルの日本の歴史クイズを作成してください。問題形式を多様にし、時には選択式の問題も使ってください

(URLを指定)

HINT

資料を付けるのも有効

GPT Builderに最初のプロンプトを入力する際、資料になりそうなサイトのURLやPDFなどを添付するのも有効です。

ほめたり正答率を出すようにする

問題が続くだけでは飽きてしまうので、ちゃんとほめてくれるようにしましょう。また、正答率も出してあげると励みになります。さらに不正解の問題があったら、繰り返すことで学習効果が高まります。

プロンプト入力例

5問ごとに軽くほめて、10問ごとにさらにほめましょう。また、10問終わったら、そこで、それまでの正答率を出しましょう。さらに不正解の問題があったら、その後繰り返しましょう

ここまで設定すると、歴史クイズを出し、回答するというGPTsがほぼできあがります。ただ、10問セットの繰り返しだけでは飽きてしまうので、さらに続けた場合の報酬も設定しておきます。

プロンプト入力例

問題が50問を超えたときと100問を超えたときは、さらにほめたたえて、親からもらえるご褒美を提案しましょう

あとは必要に応じて［Configure］からGPTs名や説明文などを修正して保存しましょう。「クイズを始めましょう！」と入力すれば、選択式の問題を出してくれます。

あなた
クイズを始めましょう！

クイズ歴史先生
もちろんです！日本の歴史に関するクイズを始めましょう。最初の質問です。

質問1: 平安時代の初期に成立した、日本最古の歴史書は何でしょうか？

1. 古事記
2. 日本書紀
3. 万葉集
4. 徒然草

正解を選んでくださいね！

あなた
2

クイズ歴史先生
正解です！日本書紀は平安時代の初期に成立した日本最古の歴史書です。さて、次の質問に進みましょう。

HINT

日本語の処理がうまくいかないときは？

GPT Builderで「このGPTsの名前など、関連するものは全部日本語にしてください」とプロンプトを入れるとGPTsの名前、説明、処理の中身、始まりの応答を日本語にしてくれます。しかし、この処理はかなり不安定で突然英語に戻ってしまったり、日本語化の処理がうまくいかないときもあります。何度かトライすると成功することもあるので、焦らず折を見て対応しましょう。

SECTION 64

生成AIで印刷物のデザインを作る

DALL-E 3で実際の印刷物のデータを作る

使用AI ChatGPT Plus（DALL-E 3）

推しポイント 画像生成AIが話題になりだした頃、画像サイズが小さいことがネックだと言われました。しかし、今や進化はめまぐるしく、製品の印刷に耐えられるクオリティに近付いてきています。

DALL-E 3でデザインを出力する

ChatGPT Plusで利用できるDALL-E 3の画像生成能力はかなりバランスがよく、同時にChatGPTの応答の中でも使えることが大きな武器にもなっています。そして、それらの**生成AIを組み合わせて考えたデザインが、製品データとしてもそのまま使えるものとなっていれば、まさに仕事に直結**します。例えば、ここでは「何かを包む布」の製品デザインを作ってみます。

プロンプト入力例

デジカメとか、ガジェットとかを包む布の柄を考えてください

応答例

ChatGPTと会話して、デザインを調整

ここでは、最初に出たデータに満足したものの、一応他のパターンも試しました。プロンプトに「このデザインパターン、同じ色でもう一案」とか「細かすぎるので、もう少しシンプルに」のような再調整を会話で行いましょう。かなりいいかげんな指示でも、とにかく形にしてくれるのがありがたいです。

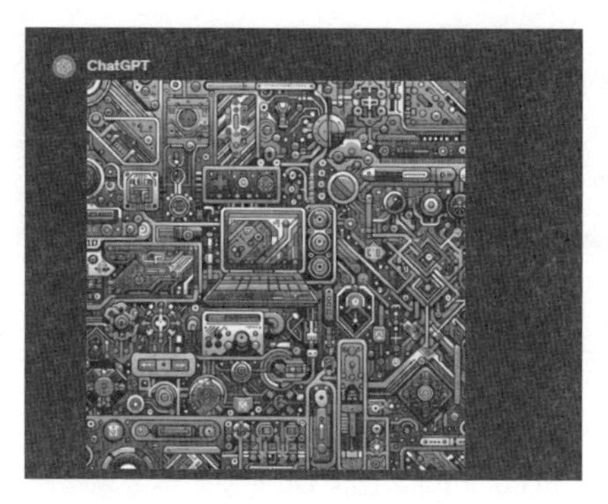

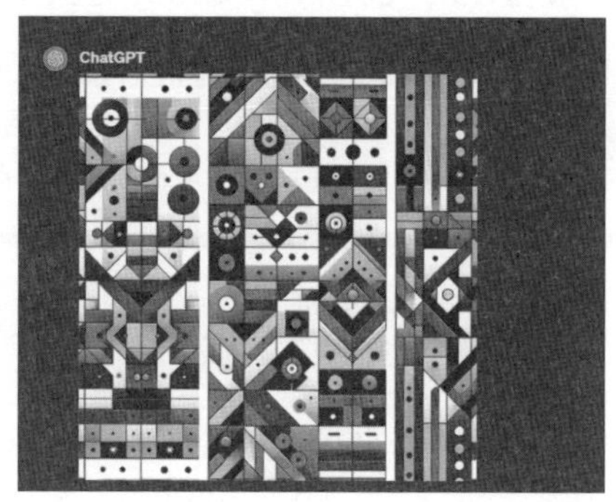

結局、ほぼそのまま使えた

実際にダウンロードしたデータを確認したところ、画像サイズは1024×1024。これなら製品の印刷などでも、そのまま使えないことはない画像サイズです。そして、**このデータを一部修正したデータは、実際の製品のプリントでそのまま使うことができました。**

このときに印刷したのは「Printio」というサービス。印刷なので「何に印刷するか」「どう印刷するか」で結果は変わってしまいますが、すでにDALL-E 3のデータは印刷できるレベルとなっていることがわかるでしょう。

DALL-E 3で生成した画像をダウンロードし、ロゴを加工した状態で実際の布製品に印刷したもの。解像度も問題なく、十分きれいに印刷されています

SECTION 65

ChatGPT経由で会話ができる

ゴーグル不要！
裸眼で3Dアバターと会話を楽しむ

使用AI Looking Glass Go、ChatGPT

推しポイント Looking Glass Goは、目に何も付けずに3D画像を見ることができ、その上で生成AIを使って会話ができるアバターを表示することができます。人類の夢の1つである裸眼立体視を体験しましょう。

持ち歩ける裸眼立体視ディスプレイLooking Glass Go

数々の裸眼立体視ディスプレイを世に送り込んできたLooking Glass Factory。そのスマートフォンサイズの縦型ディスプレイがLooking Glass Goです。本書執筆時点（2024年1月現在）ではKibidangoにてクラウドファンディング中ですが、すでに目標額の500万円を大きく上回る5,700万円以上の資金を集めています。

奥行きのある3D映像をAIによって作り出しますが、その映像は3DメガネやVRゴーグルなしで見ることができます。バッテリーでも駆動可能で重量はわずか235gと、持ち運びしやすいのも特徴です。

Looking Glass Goのクラウドファンディングのページ（https://kibidango.com/2497）。裸眼で3D映像を見ることができる様子、製品やサービスの仕様について確認できます

深度センサーを備えたスマートフォンなどの写真を3Dで表示することもできます。Webサービス「blocks.glass」(https://blocks.glass/)経由で、AI技術で深度情報を付加することで、既存の2Dの写真を3D表示することも可能になっています。

3Dアバターと生成AIで会話できる

Looking Glass Goは3Dアバターデータをアニメーションさせて表示することもできます。さらに空間AIアシスタント用サービス「Liteforms」(https://lookingglassfactory.com/liteforms)を使うことで、**ChatGPT経由で人の声に反応して応答してしゃべるアバターコンパニオンを表示して対応させる**ことも可能です。

3Dアバターと直接音声での会話ができます。自然言語処理にはChatGPTが利用されています

空間AIアシスタント用サービス「Liteforms」によって、アバターを作成できます

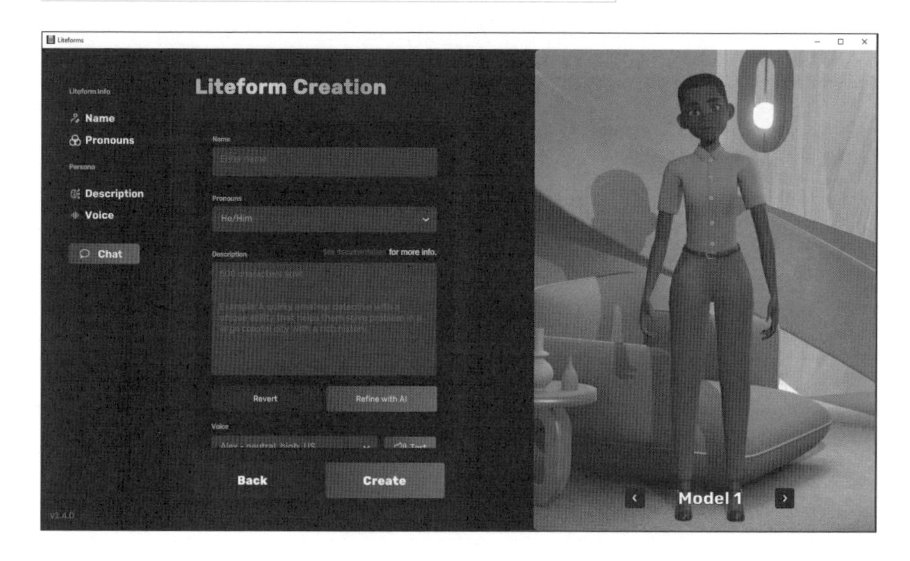

Looking Glass Goでは、ディスプレイに3D画像を表示させるのにも、3Dアバターが会話するのにもAIの技術が使われています。いずれにもAIなしには実現できないことばかり。手元のディスプレイで3D画像を表示させるという人類の夢にもAIが貢献しているのです。

第6章

英語学習に役立つ生成AIの活用例

SECTION 66

英語が苦手でもAIに聞けば意味がわかる

英語を日本語に翻訳してもらう

使用AI ChatGPT、ChatGPT Plus

推しポイント ChatGPTはインターネット上のテキストから知識を取得しているのですが、その多くは英語のテキスト。つまりChatGPTは英語が大得意なのです。小手調べに短文を訳してもらいましょう。

活用例① 英語を日本語に翻訳する

ChatGPTは英語が大の得意。プロンプトも特に難しく考えることはなく、「下記を日本語に訳して」の後に英文をコピー&ペーストすれば大丈夫です。

プロンプト入力例 (※英文は著作権フリーの小説「ピーターパン」)

下記を日本語に訳して
Mrs. Darling screamed, and, as if in answer to a bell, the door opened, and Nana entered, returned from her evening out. She growled and sprang at the boy, who leapt lightly through the window. Again Mrs. Darli ——省略——

(出典：https://www.gutenberg.org/cache/epub/16/pg16-images.html)

応答例

ダーリング夫人は叫びました。そして、まるでベルに答えるかのように、ドアが開き、夕べの外から戻ったナナが入ってきました。彼女は唸り声を上げ、少年に襲いかかりましたが、少年は窓を軽く飛び越えました。再びダーリング夫人が叫びました。今度は彼のために、彼女は彼が死んだと思って心配して叫びました。彼女は街に下りて彼の小さな体を探しましたが、そこにはありませんでした。そして彼女は見上げて、真っ暗な夜空には彼女が流れ星だと思ったものしか見えませんでした。

HINT

途中で止まってしまったら「続けて」と入力しよう

ChatGPTで生成できる文字量には上限があります。特に無料版を使っている場合は翻訳が途中で止まってしまうことがよくあります。そんなときは「続けて」や「続き」と入力しましょう。

活用例② 英語の記事を要約する

一語一句正確に訳す必要はないけれど、大体どういう内容なのかざっと確認したい場合は「要約」をお願いしてみましょう。ニュースや論文の場合は要約で十分な場合が多いです。

プロンプト入力例（OpenAIのDALL-E 3の説明文）

下記を要約して
DALL-E 3 in ChatGPT
ChatGPT can now create unique images from a simple conversation—and this new feature is available to Plus and Enterprise users today. Describe your vision, ──省略──

（出典：https://openai.com/blog/dall-e-3-is-now-available-in-chatgpt-plus-and-enterprise）

応答例

ChatGPTの新機能「DALL-E 3」では、会話から独自の画像を生成できるようになりました。この新機能は、PlusおよびEnterpriseユーザー向けに今日から利用可能です。自分のビジョンを説明すれば、ChatGPTがそれを実現するための視覚的な選択肢を提供し、ユーザーが簡単に修正や改良ができます。──省略──

ワンポイント ChatGPT Plusはさらに便利

有料版のChatGPT Plusは、外部サイトを参照する機能（セクション12参照）があるので、英文を直接コピー&ペーストするのではなく、記事のアドレス（URL）を直接入力して翻訳してもらうことができます。

プロンプト入力例

下記記事の内容を翻訳して
http://impress.co.jp/〇〇〇〇

また、論文やマニュアルなどのPDFファイルを直接読み込ませて、その内容を要約してもらうことも可能です。

プロンプト入力例

添付のPDFの内容を翻訳した上で、要約して
（英文のPDFを添付して送信）

SECTION
67

長くて難しい文章をざっと理解

英語で書かれた論文の要点をつかむ

使用AI ChatGPT Plus

推し ポイント 研究論文、それも英語で書かれたものなどお手上げと思っていませんか？　ChatGPTを使えば短く抄訳してもらうことはもちろん、必要なところだけ詳しく訳すといったことも簡単です。

英語の論文もそのままコピペ

ChatGPTを使えば、英語のニュースやコラムなどは簡単に読むことができます。では、難易度の高い文書、例えば学術論文などはどうでしょうか？

そもそも研究者でなければ、英語で書かれた論文など読んでみようと思うことすらないのかもしれません。しかし、**ChatGPTを利用すれば、論文がもっと身近に**なります。特にChatGPT Plusに使用されているGPT-4は最大32,768トークンもの長い文章をプロンプトに含めることができます。これを利用して**まずは全体を要約してもらい、疑問に思ったところだけを詳しく聞いていくという使い方をすれば、無理なく興味のある部分だけツマミ読みすることも可能**なのです。

ここでは例として、論文公開サービス「arXiv.org」にあるOpenAIが発表した「GPT-4 Technical Report」という12万字超の論文を要約させてみます。

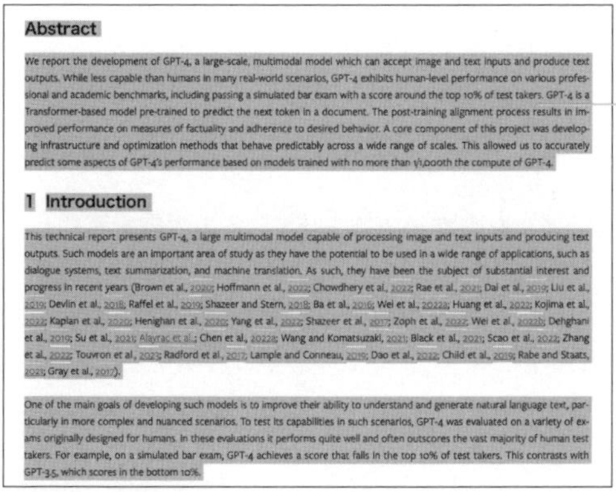

Abstract

We report the development of GPT-4, a large-scale, multimodal model which can accept image and text inputs and produce text outputs. While less capable than humans in many real-world scenarios, GPT-4 exhibits human-level performance on various professional and academic benchmarks, including passing a simulated bar exam with a score around the top 10% of test takers. GPT-4 is a Transformer-based model pre-trained to predict the next token in a document. The post-training alignment process results in improved performance on measures of factuality and adherence to desired behavior. A core component of this project was developing infrastructure and optimization methods that behave predictably across a wide range of scales. This allowed us to accurately predict some aspects of GPT-4's performance based on models trained with no more than 1/1,000th the compute of GPT-4.

1 Introduction

This technical report presents GPT-4, a large multimodal model capable of processing image and text inputs and producing text outputs. Such models are an important area of study as they have the potential to be used in a wide range of applications, such as dialogue systems, text summarization, and machine translation. As such, they have been the subject of substantial interest and progress in recent years (Brown et al., 2020; Hoffmann et al., 2022; Chowdhery et al., 2022; Rae et al., 2021; Dai et al., 2019; Liu et al., 2019; Devlin et al., 2018; Raffel et al., 2019; Shazeer and Stern, 2018; Ba et al., 2016; Wei et al., 2022a; Huang et al., 2022; Kojima et al., 2022; Kaplan et al., 2020; Henighan et al., 2020; Yang et al., 2022; Shazeer et al., 2017; Zoph et al., 2022; Wei et al., 2022b; Dehghani et al., 2019; Su et al., 2021; Alayrac et al.; Chen et al., 2022a; Wang and Komatsuzaki, 2021; Black et al., 2021; Scao et al., 2022; Zhang et al., 2022; Touvron et al., 2023; Radford et al., 2017; Lample and Conneau, 2019; Dao et al., 2022; Child et al., 2019; Rabe and Staats, 2021; Gray et al., 2017).

One of the main goals of developing such models is to improve their ability to understand and generate natural language text, particularly in more complex and nuanced scenarios. To test its capabilities in such scenarios, GPT-4 was evaluated on a variety of exams originally designed for humans. In these evaluations it performs quite well and often outscores the vast majority of human test takers. For example, on a simulated bar exam, GPT-4 achieves a score that falls in the top 10% of test takers. This contrasts with GPT-3.5, which scores in the bottom 10%.

論文のページを全選択し、コピーして利用します

出典：https://arxiv.org/html/2303.08774v

プロンプト入力例

要約して
（以下に論文全文をペースト）

応答例

要約すると、この技術報告書は、画像とテキストの両方を入力として受け入れ、テキスト出力を生成する大規模な多モーダルモデルであるGPT-4の開発について報告しています。GPT-4は、人間のような多くのリアルワールドのシナリオでのパフォーマンスを示し、プロとアカデミックなベンチマークで人間レベルのパフォーマンスを示しています。例えば、模擬の弁護士試験で上位10%のスコアを達成しています。GPT-4は、トランスフォーマーベースのモデルで、文書内の次のトークンを予測するために事前に訓練されています。事後訓練のアライメントプロセスは、事実性と望ましい行動への遵守の尺度でのパフォーマンスの向上をもたらします。
――省略――

12万文字の論文が10分の1に圧縮された

12万字超の論文が13,000字以下に要約されました。

この程度の文章量なら、概要をざっとつかむにはピッタリです。難解な学術論文をどうしても読まなければならない場合は、GPT-4を使えば少なくとも何が書いてあるのか、何が重要な論点なのかを把握することができます。

ワンポイント　知りたいところだけ訳してもらう

ChatGPTの要約機能はかなり出来がいいので、ある程度知識のある分野なら要約だけでアウトラインは理解できるでしょう。さらに詳しく知りたい場合は、要約のあとに続けて、「○○について詳しく」と入力すれば個別で訳してくれます。この場合、すでに英文は入力済みなので改めて英文をコピー＆ペーストする必要はありません。

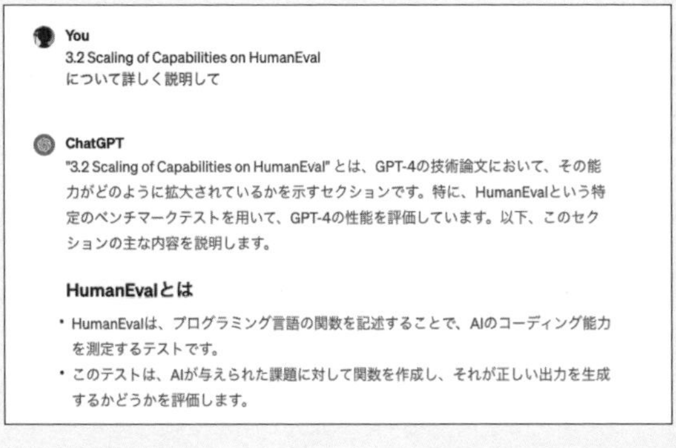

You
3.2 Scaling of Capabilities on HumanEval
について詳しく説明して

ChatGPT
"3.2 Scaling of Capabilities on HumanEval" とは、GPT-4の技術論文において、その能力がどのように拡大されているかを示すセクションです。特に、HumanEvalという特定のベンチマークテストを用いて、GPT-4の性能を評価しています。以下、このセクションの主な内容を説明します。

HumanEvalとは

- HumanEvalは、プログラミング言語の関数を記述することで、AIのコーディング能力を測定するテストです。
- このテストは、AIが与えられた課題に対して関数を作成し、それが正しい出力を生成するかどうかを評価します。

SECTION 68

メールやSNSの文面を考えるときに便利

日本語を翻訳してもらう

使用AI　ChatGPT、ChatGPT Plus

推し ポイント　和訳ができるということはもちろん英訳も可能です。スキルも予算もないと諦めていた英訳作業が誰でも無料でできます。メールやSNSの文面を英語で作成したい、というときに便利です。

活用例① 日本語の文章を英語に翻訳する

一般的に和訳はともかく英訳はかなりハードルの高い作業の1つですが、ChatGPTはかなり正確に翻訳をしてくれます。正確さが求められる文章の場合はネイティブの確認作業が必要になるでしょうが、**一般的なやり取りならほぼChatGPTだけで十分**です。

プロンプト入力例

下記の文章を英語に翻訳して
「お茶漬けは、ご飯の上にお茶や湯を注いで食べる日本の料理です。ご飯の上にお茶や湯を注ぎ、梅、わかめ、納豆、海苔などの具をのせて混ぜ合わせ、箸またはスプーンで食べます。」

応答例

"Ochazuke is a Japanese dish where tea or hot water is poured over rice. The dish involves pouring tea or hot water over rice and mixing it with ingredients such as **umeboshi (pickled plums)**, wakame seaweed, **natto (fermented soybeans)**, nori (seaweed), and more. It is then eaten with chopsticks or a spoon."

単に英訳しているだけではなく、「梅干し（プラムのピクルス）」「納豆（発酵した大豆）」といった簡単な説明も追加してくれています。

HINT

類似のプロンプトのアイデア

- 下記をスペイン語にしてください
- 下記を簡体中国語にしてください
- 下記をカジュアルな英語にしてください
- 下記をフォーマルな英語にしてください

活用例② 英語以外の言語も翻訳できる

ChatGPTは英語が得意ですが、それ以外のメジャーな言語、独・伊・仏・西・中国語・韓国語・日本語あたりもほぼ実用的に使える程度の翻訳能力を持っています。ビジネスメールやSNS上の交流で、それらの言語を読みたいと思ったときにも和訳できますし、相手に返信したいなら、迷わずChatGPTを利用しましょう。例えば、以下は日本語を中国語に翻訳してもらった場合です。

プロンプト入力例

下記を簡体中国語に翻訳して
お茶漬けは、ご飯の上にお茶や湯を注いで食べる日本の料理です。ご飯の上にお茶や湯を注ぎ、梅、わかめ、納豆、海苔などの具をのせて混ぜ合わせ、箸またはスプーンで食べます

応答例

翻訳：茶泡饭是一种日本料理，将茶或热水倒在饭上，加上梅干、海带、纳豆、海苔等配料混合食用。这道菜用筷子或汤匙食用。

英語をビジネスで活かしたい！

ビジネスメールを書いてもらう

使用AI ChatGPT、ChatGPT Plus

推しポイント 文章の作成はChatGPTの得意分野です。宛先と要件、そしてトーンなどを箇条書きで知らせるだけで、TPOに合ったビジネスメールを作成することも朝飯前です。

要件やトーンを箇条書きにするだけでOK

英語が苦手な人にとって海外の取引先とのやり取りは憂鬱なもの。しかし、ChatGPTを使えば、**要件やトーンなどを箇条書きで書くだけで、いい感じの英語のビジネスメールを作成**してくれます。

プロンプト入力例

下記のビジネスメールを英文で書いてください
宛先：Mr. john Anderson
要件：第二回ミーティングの時間を決めたい
期日：2月12日の13時以降、もしくは2月14日の午前が空いています。
トーン：親しい間柄ではないので礼儀正しく

応答例

Subject: Scheduling the Second Meeting

Dear Mr. John Anderson,

I trust this email finds you well. I am writing to discuss the scheduling of our second meeting.

I would appreciate it if we could arrange a suitable time to meet, preferably on February 12th after 1:00 PM or in the morning of February 14th. Please let me know your availability during these time slots, and we can coordinate accordingly.

```
Thank you for your time, and I look forward to your
response.

Best regards,

[Your Full Name]
[Your Position]
[Your Company]
```


名前や会社名を追記すれば完成

一瞬でフォーマルな文体のビジネスメールができました。あとは、一番下の［Your Full Name］（名前）、［Your Position］（肩書き）、［Your Company］（会社名）を英字で埋めれば完成です。もし、英文読解力に自信があるなら、自力でざっと読んでみて、ChatGPTの翻訳の精度を確認してみましょう。逆に自信がなくても、生成された英文そのものをさらにChatGPTに日本語訳してもらうことで、内容やトーンを確認できます。

ちなみに、今回生成したビジネスメールの内容を日本語にすると、次の通りです。

応答例（日本語訳）

ジョン・アンダーソン様
お元気でいらっしゃいますように。私は、私たちの第二回目のミーティングのスケジュールについて話し合うためにこのメールを書いています。
可能であれば、2月12日の13時以降、または2月14日の午前中に適した時間に会うことができれば幸いです。これらの時間帯でのご都合を教えていただけますと、それに応じて調整ができます。
お忙しいところ恐れ入りますが、ご回答を楽しみにしております。
よろしくお願いいたします。

ワンポイント　ビジネスメールの注意点

日本人が英語のビジネスメールを作成する際に注意すべき点としては、直訳を避ける、過度な丁寧語を避ける、文化的な違いに注意する、間接的な表現を避けるなどがあります。

その点、ChatGPTにメールを作成してもらえば、少なくとも直訳ということはなくなるでしょう。あとは過度に謙虚な表現を使いすぎること、間接的な表現で意図が伝わらないことなどに気をつけて原文を作ればいいでしょう。

SECTION 70

自分で書いた英文をよりこなれた表現に

英文を添削してもらおう

使用AI ChatGPT、ChatGPT Plus

推しポイント 自分で英作文をしたとき「英語のわかる人に見てもらえればなぁ」と思ったことはないでしょうか。そんなときはChatGPTに添削してもらい、アドバイスに従ってブラッシュアップしましょう。

文法の間違いや表現まで添削してくれる

作成した文章が文法的に間違っていないか、もっといい表現がないかを知りたいときは、そのまま作成したテキストをコピーして添削してもらいましょう。

プロンプト入力例

下記の文章を校正して
Yesterday, I thought that If I could guitar, I would make my band. And do live someday.
(※日本語では、「昨日、もしギターができたら、自分のバンドを作って、いつかライブをやるんだろうと思った。」という意味)

応答例

```
Yesterday, I thought that if I could play the guitar, I would start my own band and perform live someday.
```

細かいですが、数か所変更されています。これだけではわかりにくいので解説してもらいましょう。

プロンプト入力例(続き)

解説をお願いします

応答例

> もちろん、文章の校正の理由を説明いたします。
>
> **「If I could guitar」の修正：** 元の文では「guitar」という単語が動詞として使われていますが、これは誤りです。「guitar」は名詞で、「ギターを弾く」という意味で使う場合は、「play the guitar」という動詞句を使用します。
>
> **「I would make my band」の修正：** 「make my band」という表現は不自然です。「バンドを作る」と言いたい場合は、「form my own band」（自分のバンドを結成する）と言うのが自然です。
>
> **「And do live someday」の修正：** 「do live」は文脈に合わせて不適切です。「ライブパフォーマンスをする」という意味で「perform live」と表現します。
>
> **文章の流れ：** また、文章全体の流れをスムーズにするために、文のつながりを改善しました。それにより、文章がより自然に、そして英語として正しい形になります。
>
> これらの修正により、文章は文法的にも意味的にも適切になり、意図した内容がより明確に伝わるようになります。

このように懇切丁寧に修正箇所の解説が表示されました。完成した文章はあなたとChatGPTの共同作業なのです。また、修正ポイントをもとにテスト問題を作成してもらうのもいいでしょう。

プロンプト入力例（続き）

今回の修正ポイントが定着するようテスト問題を作成して

応答例

> もちろんです。以下に、今回の修正ポイントに基づいたテスト問題を作成しました。これらの問題を解くことで、修正のポイントをより深く理解し、定着させることができます。
> 問題 1
> 次の文を正しい英文に直してください。
> 「もし私がピアノを弾けたら、コンサートで演奏するだろう。」
> (誤) If I could piano, I would play in a concert.
> (正) _______________
> ――省略――

SECTION 71

なかなか覚えられない英単語対策に

英単語を深掘りして覚えやすい提案をしてもらう

使用AI　ChatGPT、ChatGPT Plus

推しポイント　英語学習で、なかなか覚えられない難解な英単語。覚えるのに苦労している人は多いのではないでしょうか。ChatGPTで単語の意味を深掘りすると、多様な用法が得られ、覚えやすくなります。

英単語を深掘りする

誰もが苦労する英単語学習。**多くの単語は複数の意味を持っており、文脈によってさまざまな訳し方があります。**例えば「kind」という単語は文脈によって「種類・型（名詞）」「優しい・親切な（形容詞）」「同類の（形容詞）」などさまざまに訳されます。

ちょっとでもひっかかる単語があったらChatGPTに聞いてみましょう。きっと理解を助けてくれるはずです。ここでは、一般的に「介入する」と覚えられている「intervene」という英単語を例にしてみます。

プロンプト入力例

「intervene」という英単語を詳しく解説して

応答例

「intervene」は、英語の動詞であり、さまざまな文脈で使われる単語です。以下に、その主な意味や用法を解説します。

介入する; 干渉する： 特定の状況や出来事において、ある行動や手段を用いて進行や結果に影響を与えることを指します。これは通常、問題を解決し、状況を改善するために行われる行為を指します。
例：The teacher had to intervene to stop the argument between the students.
（先生は生徒たちの口論を止めるために介入しなければなりませんでした。）

仲裁する： 対立や紛争において、仲裁者として介入することを指します。対立する者たちの間に入って、和解や解決策を促進することが求められる場合に使われます。

例：The United Nations often intervenes in conflicts to mediate and facilitate peace.
（国連はしばしば紛争に介入し、仲裁して平和を促進します。）

(自然な進行に) 干渉する： 自然の流れやプロセスに対して、外部から何かしらの影響を与えることを指します。
例：Human activities are intervening in the natural balance of ecosystems.
（人間の活動が生態系の自然なバランスに干渉しています。）

時間的に挟まる： ある出来事や行動が時間の流れの中で挟まれるように起こることを指します。
例：The professor allowed questions to be asked, intervening briefly in the lecture.
（教授は講義中に簡単に質問を受け入れ、干渉しました。）

「intervene」は、状況に応じてさまざまなニュアンスで使われるため、文脈によって正確な意味を理解することが重要です。

文脈に応じた意味の違いを例文付きでわかりやすく提示

「intervene」という英単語の「介入する」「仲裁する」「干渉する」という複数の訳を、それぞれ例文を出して説明してくれました。

第一義的に覚えられている「介入する」は、問題解決や状況の改善のための介入であることがわかります。また、そこから派生して、対立や紛争において、和解や解決策を促進するために「仲裁する」という意味にまで広がることも教えてくれました。そして、「干渉する」という意味には、単に問題解決や状況の改善だけではなく、何らかのプロセスの中で外部から影響を与える、といった意味の「干渉」にも使えることが示されました。また、「干渉」のもう1つのニュアンスとして、「時間的に挟まる」といったイメージがあることも提示してくれました。

いずれも例文を付けてくれているので、文脈に応じてどう使い分けたらいいのかも把握しやすく、ニュアンスの微妙な違いについても理解しやすい解説。英文を読んでいて、**どうしても意味が入ってこない単語がある場合は、こうしてChatGPTで単語を深掘りしてみると、さまざまな用法を知ることができ、記憶に残りやすくなります。**

無料でオンライン英会話を試せる

英会話の練習相手になってもらう

使用AI ChatGPT、ChatGPT Plus

推しポイント 英会話の学習には実践が欠かせません。ChatGPTの音声会話機能を利用すれば、オンライン英会話スクールを利用しなくても英会話の練習ができるようになります。

無料でオンライン英会話を試すことができる

セクション09で説明したように、ChatGPTにはスマートフォンアプリが用意されており、マイクとスピーカーを使った音声入出力機能が利用できます。つまりキーボードやフリック入力を使わずとも、**音声でChatGPTと会話ができるようになる**のです。「Skype」や「Zoom」を利用したオンライン英会話スクールは便利ですが、費用が比較的高額です。また、いきなり生身の人間と話すのは緊張するという人もいるでしょう。そんなときはまずChatGPTに会話の相手をしてもらいましょう。

①スマートフォンアプリの画面右下にある［ヘッドフォン］アイコンをタップ

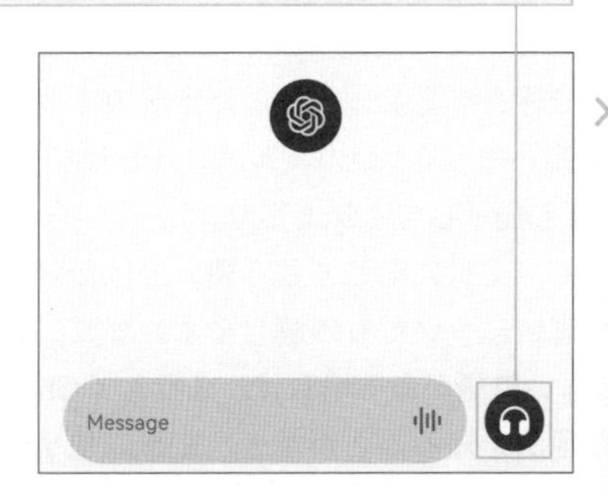

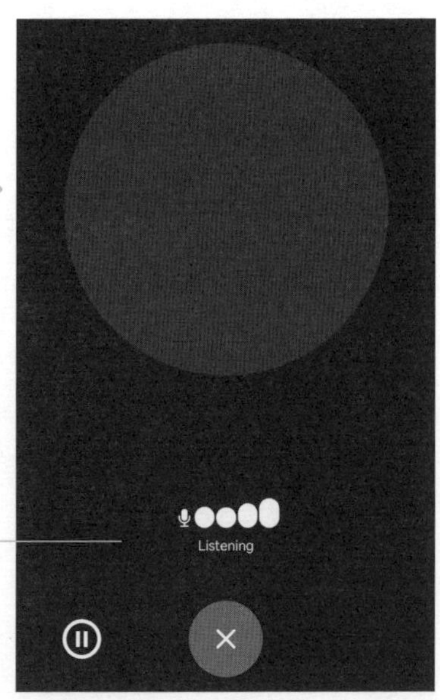

②画面に向かって、英語で話しかける

音声入力を受け付けている間は、画面に大きな円が出現し、［Listening］と表示されます

ChatGPTが英語で応答してくれます。ChatGPTが話している間は、こちらからの音声入力はできませんが、画面をタップすると応答を止めることができます

ChatGPTが話し終えたら、会話するようにして、音声入力を続けられます

③ここをタップして会話を終了

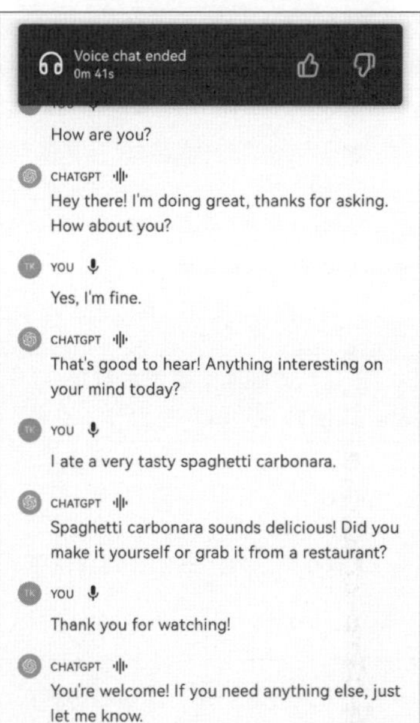

Voice chat ended
0m 41s
How are you?
CHATGPT
Hey there! I'm doing great, thanks for asking. How about you?
YOU
Yes, I'm fine.
CHATGPT
That's good to hear! Anything interesting on your mind today?
YOU
I ate a very tasty spaghetti carbonara.
CHATGPT
Spaghetti carbonara sounds delicious! Did you make it yourself or grab it from a restaurant?
YOU
Thank you for watching!
CHATGPT
You're welcome! If you need anything else, just let me know.

会話を終了すると、その日の会話記録が表示されるので、後から確認・復習できます

HINT

日本語で返答されたら？

まれに英語で話しかけているのに、日本語で回答が返ってくることがあります。そんなときは慌てず「英語でお願いします」または「Could you speak English?」と言えば問題ありません。

SECTION 73

学習目的に合わせた教師を用意

GPTsで自分だけの英語教師を作ろう

使用AI ChatGPT Plus

推しポイント プログラムの知識不要でオリジナルのGPTを作成できるChatGPT Plusの「GPTs」（セクション43参照）を使えば、自分の学習目的に合わせた、独自の英語教師を作成することができます。

英語学習に特化したGPTを作る

オリジナルGPTを作成するのに特別な知識は必要ありません。GPTに「振る舞ってほしいこと」を具体的に日本語で書いていくだけでいいのです。これからのプログラミングの主流になるであろう、対話型プログラミングをいち早く体験してみましょう。

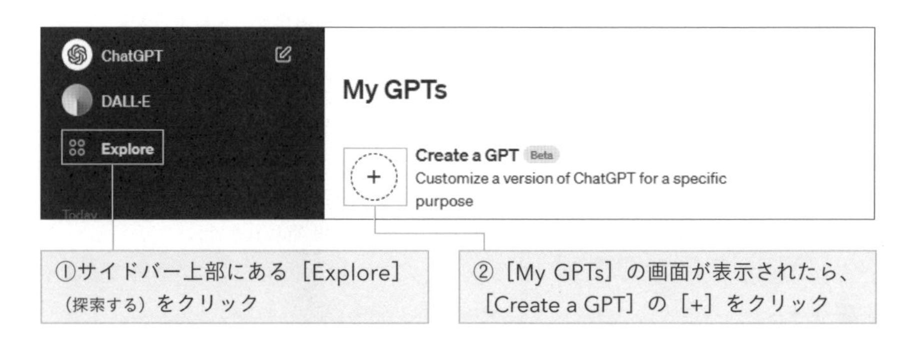

①サイドバー上部にある［Explore］（探索する）をクリック

②［My GPTs］の画面が表示されたら、［Create a GPT］の［+］をクリック

プロンプト入力例

英単語を入力したら日本語で詳しく例文入りの解説をしてくれる英語の先生を作りたいです

応答例

```
Great choice! This GPT will act as an English teacher,
providing detailed explanations of English words in
Japanese, including example sentences.

Now, let's give this GPT a name. How about "Eigo Sensei"?
Does that sound good to you?
```

英単語の解説に特化したGPTを作りたかったので、上記のようなプロンプトでお願いしたらすぐに作ってくれました。

使用例

完成したオリジナルGPTには、「パーソナル英語教師」という名前を付けました。アイコンは、DALL-E 3で自動作成してくれたものを使用しています。

例えば「unleash」という単語を入力すると、下記のように例文を挙げて詳しく用法を説明してくれます。通常のChatGPTの場合「unleashという英単語の意味を日本語で詳しく例文を挙げて解説してください」といったプロンプトが必要になるところを、**単語を1つ入力するだけで、例文入りの詳しい解説が得られます。**

このように「英単語の解説」といった目的に特化したGPTを作成しておくと、英語学習を大幅に省力化できて便利です。

パーソナル英語教師

「unleash」という英単語は、「解き放つ」や「放つ」という意味を持ちます。これは通常、何かを制限や束縛から解放する様子を表します。この単語は、文字通りの意味で使われることもありますし、比喩的な意味でも使われます。

1. 文字通りの使用例: 犬をリードから解き放つ。
   - 英文: "She decided to unleash her dog at the park."
2. 比喩的な使用例: 感情やエネルギーを解き放つ。
   - 英文: "The new policy will unleash the potential of young entrepreneurs."

この単語は、特に力やエネルギー、創造性などが制約されている状態から解放される時によく使われます。また、制御が難しい何かを放つときにも用いられます。このため、使う際にはそのコンテキストに注意が必要です。

SECTION 74

ドイツ発のAI翻訳アプリ

ChatGPTより高機能なDeepLで英文を翻訳する

使用AI　DeepL（https://www.deepl.com/ja/translator）

推しポイント　DeepLは2017年にサービスを開始したドイツ発のAI翻訳サービスです。翻訳の精度が高いことで 知られているため、ChatGPTの英訳に不満が残る場合やビジネスシーンで使うと便利でしょう。

DeepLとは

DeepLは畳み込みニューラルネットワーク（CNN）と呼ばれる機械学習の手法で開発されたAI翻訳アプリです。独立したアプリまたはWebブラウザのアドオン（機能拡張）として利用できます。無料版は5000文字以内の文書を翻訳できます。有料版はテキストの入力文字数に上限がなくなる上、セキュリティも向上します。

活用例① Webブラウザを使った翻訳

最も シンプルな使い方は、DeepLの公式サイトにWebブラウザでアクセスし、入力欄に翻訳したい英文を貼り付ける方法です。

活用例② Webブラウザのアドオンを使った翻訳

Google ChromeなどのWebブラウザ向けにDeepLのアドオンをインストールしていると、翻訳したい英文を選択した際にその場で翻訳できるボタンが表示されます。

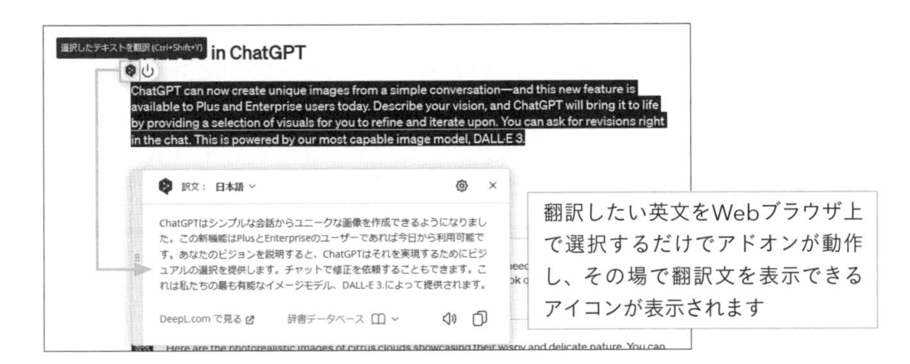

活用例③ アドオン＋デスクトップアプリを使った翻訳

さらに、DeepLのデスクトップアプリをインストールしている場合は、翻訳したい文章を選択して Ctrl ＋ C（Macは ⌘ ＋ C）キーを2回押すと、アプリ上に英文が自動的に入力され、翻訳まで一気に行うことができます。

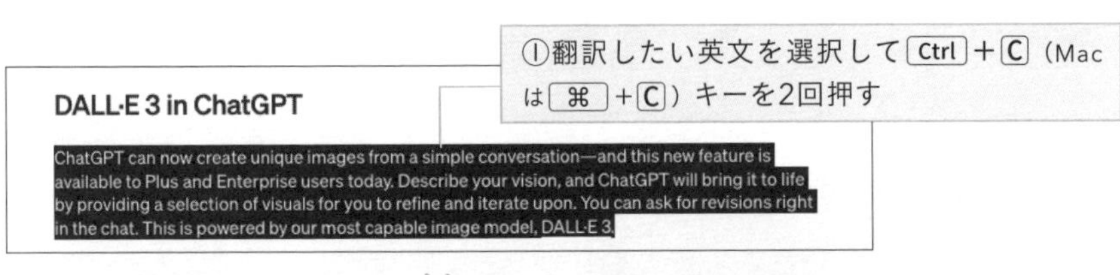

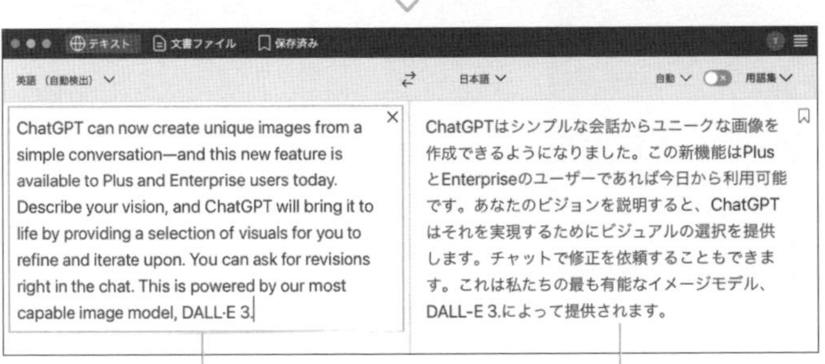

DeepL のデスクトップアプリに英文が自動入力されます

入力言語を自動検出して、右の欄に日本語として翻訳文を表示してくれます

MicrosoftのAIアシスタント

Windowsから直に使えるCopilotでWeb記事を翻訳

使用AI Copilot（https://copilot.microsoft.com/）

推しポイント 「Copilot」はChatGPT同様、GPT-3.5またはGPT-4を使用したMicrosoftのAIアシスタントです。Windows 11ではWebブラウザなどのアプリのサイドバーとして利用可能です。

Copilotを開きながらWebブラウズ

Microsoftの「Copilot(旧称：Bingチャット)」は、ChatGPT同様にOpenAIの大規模言語モデル（LLM）を利用したAIアシスタントです。**Windows 11からはOSと統合され、タスクバーのアイコンもしくは［Windows］+［C］キーを押すことで、画面の右側にサイドバーとして表示され、WebブラウザのMicrosoft Edgeなどのアプリと組み合わせて利用することができます**（2024年1月現在はプレビュー版です）。

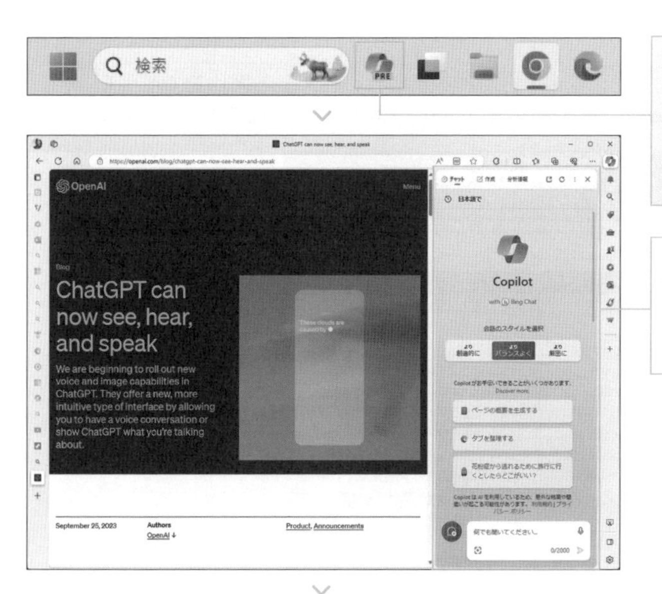

①ブラウザのEdgeを開いた状態で、タスクバーにある「Copilot」のアイコンをクリック

Edgeのブラウザ画面の右側に、サイドバーとして「Copilot」が表示されます

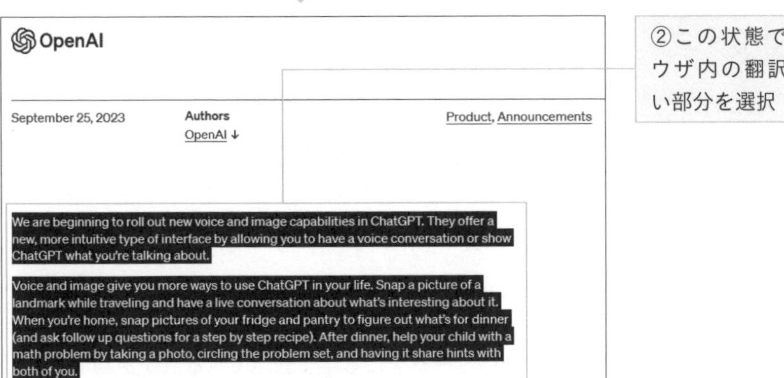

②この状態でブラウザ内の翻訳したい部分を選択

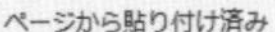

ページから貼り付け済み
We are beginning to roll out new voice and image capabilities in ChatGPT. They offer a new, more intuitive type of interface by allowing you to have a voice conversation or show ChatGPT what you're talking about. Voice and image give you more ways to use ChatGPT in your life. Snap a picture of a landmark while traveling and have a live conversation about what's interesting about it. When you're home, snap pictures of your fridge and pantry to figure out what's for dinner (and ask follow up

テキストに対する処理を選択してください。

③選択した部分が自動的にサイドバーに転送されるので、プロンプト欄に「日本語に翻訳して」などと入力

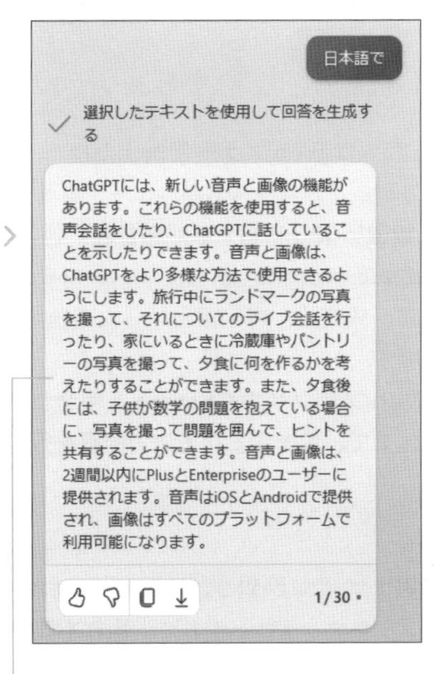

日本語に翻訳されました。翻訳だけではなく要約なども可能です

HINT

ChatGPTとの違いは？　こちらを使うメリットは？

Microsoftアカウントを持ったWindows 11ユーザーであれば誰でも無料でCopilotを利用できます。ChatGPTでは有料版でないと使えないGPT-4やDALL-E 3といった最新モデルまで無料で利用できるのは驚きです。

SECTION 76

Chromeブラウザに統合され、使いやすい

対応言語が魅力のGoogle翻訳

使用AI　Google 翻訳（https://translate.google.com/）

推しポイント　Google翻訳は、Googleが2006年より無料で提供する翻訳サービスです。WebブラウザのChromeと統合されているため、ブラウジングしながら外国語のページを日本語で表示できる点が便利です。

Google翻訳を使用するメリット

Google翻訳はWebブラウザ版またはモバイルアプリとして提供されています。2016年より翻訳アルゴリズムがニューラルネットワークを利用したものになりました。

最大の特徴は130を超える対応言語。他の翻訳サービスが提供するメジャーな言語はもちろん、カンナダ語（南インド）、マラガシ語（マダガスカル）といったマイナーなものから、閩南語（びんなんご）、客家語（はっかご）といった中国語のバリエーションまで用意されているのが魅力です。

また、**WebブラウザのChromeと完全に統合されているため、1つの単語からページ全体まで、さまざまな方法で翻訳を行うことが可能**です。

基本的な翻訳方法

他の翻訳アプリのように英文をコピー＆ペーストして利用するのが基本。画像やドキュメントをアップロードして、内容を翻訳することも可能です。

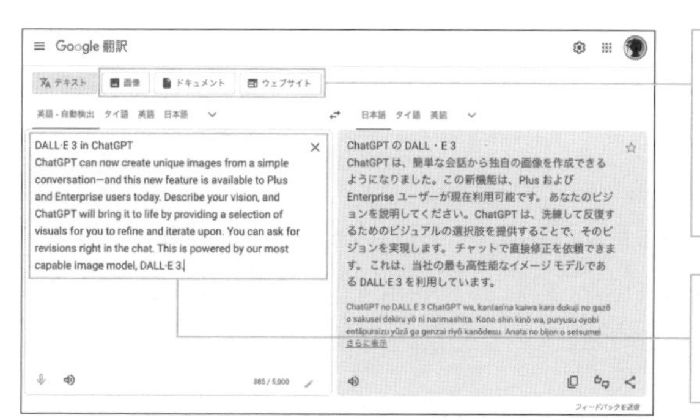

［画像］［ドキュメント］をクリックすると、画像やドキュメント（Word文書など）をアップロードして、翻訳することもできます

英文をコピー＆ペーストすると、右側の欄に翻訳が表示されます

圧倒的な数を誇る翻訳可能言語

Google翻訳の強みは、圧倒的な数の言語に対応している点です。画面左上にある［言語を検出する］をクリックすると、対応言語の一覧が表示されます。ただしマイナーな言語は英語を介して翻訳されることも多いようです。

言語を検出する
アイスランド語
アイマラ語
アイルランド語
アゼルバイジャン語
アッサム語
アフリカーンス語
アムハラ語
アラビア語
アルバニア語
アルメニア語
イタリア語
イディッシュ語
イボ語
イロカノ語
インドネシア語
ウイグル語
ウェールズ語
ウクライナ語
ウズベク語
ウルドゥ語
エウェ語
エストニア語
エスペラント語
オランダ語
オリヤ語
オロモ語
カザフ語
カタルーニャ語
ガリシア語
カンナダ語
キニヤルワンダ語
ギリシャ語
キルギス語
グアラニ語
グジャラート語
クメール語
クリオ語
クルド語（クルマンジー）
クルド語（ソラニー）
クロアチア語
ケチュア語
コーサ語
コルシカ語
コンカニ語
サモア語
サンスクリット語
ジャワ語
ジョージア語（グルジア…
ショナ語
シンド語
シンハラ語
スウェーデン語
ズールー語
スコットランド ゲール語
スペイン語
スロバキア語
スロベニア語
スワヒリ語
スンダ語
セブアノ語
セペディ語
セルビア語
ソト語
ソマリ語
タイ語
タガログ語
タジク語
タタール語
タミル語
チェコ語
チェワ語
ツォンガ語
ティグリニャ語
ディベヒ語
テルグ語
デンマーク語
ドイツ語
トゥイ語
ドグリ語
トルクメン語
トルコ語
ネパール語
ノルウェー語
ハイチ語
ハウサ語
パシュト語
バスク語
ハワイ語
ハンガリー語
パンジャブ語
バンバラ語
ヒンディー語
フィンランド語
フランス語
フリジア語
ブルガリア語
ベトナム語
ヘブライ語
ベラルーシ語
ペルシャ語
ベンガル語
ボージュプリー語
ポーランド語
ボスニア語
ポルトガル語
マイティリー語
マオリ語
マケドニア語
マラーティー語
マラガシ語
マラヤーラム語
マルタ語
マレー語
ミゾ語
ミャンマー語（ビルマ語）
メイテイ語（マニプリ語…
モンゴル語
モン語
ヨルバ語
ラオ語
ラテン語
ラトビア語
リトアニア語
リンガラ語
ルーマニア語
ルガンダ語
ルクセンブルク語
ロシア語
英語
韓国語
中国語（簡体）
中国語（繁体）
日本語

［言語を検出する］をクリックすると、対応言語を確認できます

Webページ全体を翻訳できるのも便利

Google翻訳のもう1つの強みは、Webページ全体を翻訳できるところです。Chromeブラウザにその機能が統合されているため、英語のサイトを開いた際にアドレスバーに表示される［このページを翻訳］ボタンをクリックするだけで、ページ全体を翻訳できます。

英語のサイトを開いた際にアドレスバーに表示される［このページを翻訳］ボタンをクリックし、［日本語］を選択すると、ページ全体を日本語に翻訳できます

COLUMN

自動翻訳の進化と英語学習の未来

AIの進化による自動翻訳技術の向上は、言語による障壁を減らし、グローバルなコミュニケーションを容易にしています。このことによって、一部では将来的に語学学習の重要性が低下するのではないかという議論も生じていますが、テクノロジーの進化が止まらないこの世界でも、英語学習の価値は変わらず重要だと筆者（田口）は考えます。

確かに自動翻訳は便利ですが、それだけでは言語の本質的な美しさや文化的な深みを完全に捉えることはできません。言語学習は、単に単語や文法を覚えること以上のものです。それは異文化を理解し、異なる視点を体験する手段です。英語を学ぶことで、世界中の文化やアイデアへのアクセスが可能になります。また、言語を学ぶプロセスは、思考力や創造性を高め、脳の機能を強化します。

さらに、英語学習は、国際ビジネスや学術的なコミュニケーションでの成功への鍵です。自動翻訳では捉えられない微妙なニュアンスや意図を理解するには、言語の深い知識が必要です。また、言語を学ぶことは、自己表現の能力を高め、自信を構築するのにも役立ちます。

生成AI、例えばChatGPTのようなツールは、この学習プロセスをサポートするために使うことができますが、それはあくまで補助的なツールです。これらのAIツールは、実践的な会話練習やカスタマイズされた学習体験を提供し、学習者のモチベーションを高めるのに役立ちますが、言語の本質的な理解には人間の洞察が不可欠です。

最終的に、自動翻訳の進歩は言語学習を不要にするのではなく、より効果的で楽しいものにするためのツールとして機能します。英語学習の動機は、コミュニケーション能力の向上だけでなく、異文化への理解とつながりを深めることにあります。このように、AIの進歩とともに、英語学習は変化し進化していくでしょう。

第7章

さまざまな使い道がある画像生成AI

SECTION 77

Image Creatorなら無料で使える

OpenAIの画像生成・DALL-E 3を無料で利用しよう

使用AI　Image Creator（https://www.bing.com/images/create）

推しポイント　OpenAIの画像生成AIであるDALL-E 3を使うためには有料のChatGPT Plusに登録する必要がありましたが、Microsoftの Image Creator from Designerなら無料で画像生成を使うことができます。

無料で高機能な画像生成AIが使える

Microsoftの**Image Creator**（以前はBing Image Creatorと呼ばれていた）**は、ChatGPT Plusで利用できる最新の画像生成AI、DALL-E 3を使って無料でイラストを制作**できます。使用するにはMicrosoftアカウントでサインインした後、欲しい画像をプロンプトで説明するだけでOKです。例えば、プロンプトに日本語で「日本のお正月を満喫するドラゴン」などと入力して、［作成］をクリックするだけで、画像を生成してくれます。

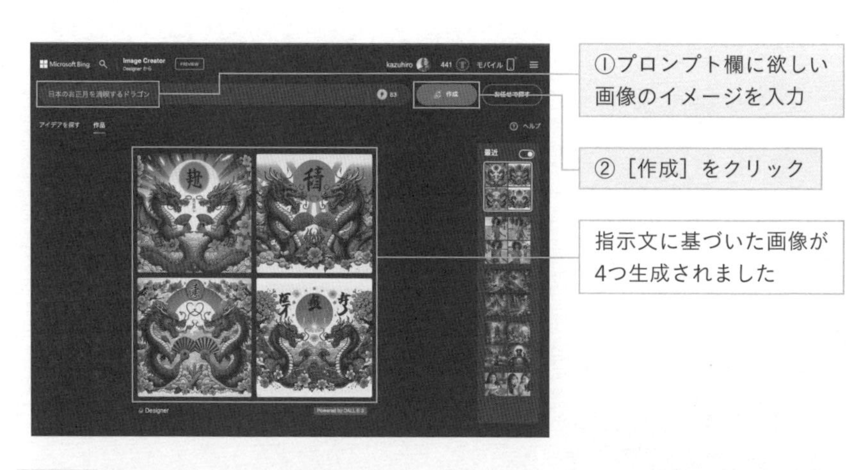

HINT

画像には電子透かしが含まれる

Image Creatorで作成した画像には自動的に目に見えない電子透かしが含まれるので、AI作成画像であることはもちろん、作者・作成日・プロンプトといった情報ももれなく記録されます。

［アイデアを探す］タブをクリックすると、たくさんのサンプル画像を見ることができます。英語のプロンプトで生成されたものが多いので、英語で指示する場合の参考になります。

［アイデアを探す］タブをクリックすると、生成画像のサンプルを見ることができます

HINT

ブースト

プロンプト入力欄の脇に数字で表示されているのが、「ブースト」です。これはMicrosoftのアカウントを作成するともらえるポイントで、画像生成のスピードを上げることができます。Microsoftのリワードポイントを利用して、ブーストを増やすこともできるようになるようです。

83

モバイルでも生成可能

モバイルの場合は、Copilotアプリや Webブラウザ（ChromeやSafariなど）からImage Creatorにサインインすれば利用できます。

モバイルでも使い方は同じです。これはCopilotアプリを使った場合ですが、欲しい画像のイメージを入力するだけです

HINT

制限もたくさんあり

コンテンツポリシーに違反したプロンプトには警告が表示されます。実在の人物や誰かの知的財産に該当するキャラクター、アダルト・暴力に関する画像などが該当します。

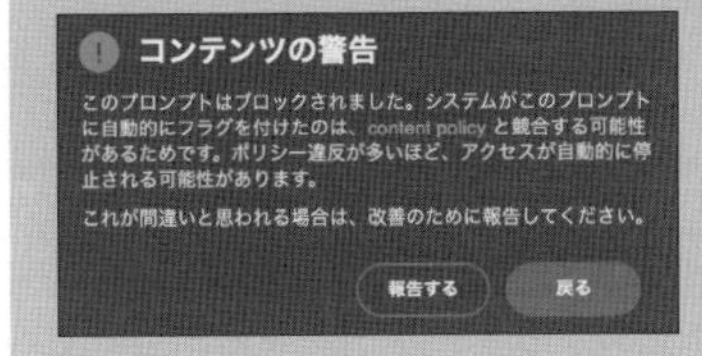

SECTION 78

神秘的で未来的なイラストを生成

アートな画風が魅力のMidjourneyを試してみよう

使用AI Midjourney（https://www.midjourney.com/）

推しポイント Midjourneyは最も早くからサービスを開始した画像生成AIサービスの1つ。非常に美しい、アートな画風のイラストを生成してくれるのが大きな魅力です。

Midjourneyを利用するには

Midjourneyは2022年7月にサービスを開始した画像生成AIサービスです。当初は無料プランもありましたが、現在は月額10米ドルからの有料プランに入る必要があります。

Midjourneyの特徴はその洗練された画風です。いかにもAIっぽかったりアニメ調だったりするモデルも多い中、**Midjourneyは一貫してサイバーパンクやリアルファンタジー系の絵にイメージを引っ張っていく傾向があります。神秘的で未来的なイラストを制作したい場合は、このサービスが向いています。**

なお、このAIはチャットサービスのDiscordを通じて利用する必要があります。新規ユーザーは、Discordでログインし、Midjourneyサーバー（https://discord.com/invite/midjourney）に参加しておきましょう。

Discordにログインした状態で、Midjourneyサーバー（https://discord.com/invite/midjourney）にアクセスすると、サーバーに招待してもらえるので参加しましょう

画像生成のやり方

Discordの初心者チャンネルで、描いてほしい絵のキーワード（プロンプト）を入力することによって画像を生成することができます。

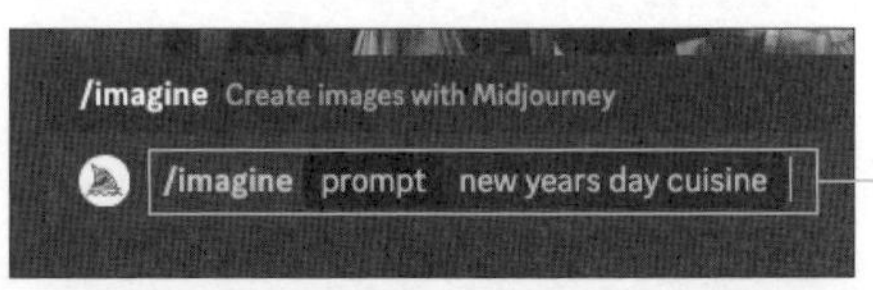

①Discordの初心者チャンネルのメッセージ入力欄にプロンプトを入力

ここでは「/imagine」と入力した後に続けて「new years day cuisine」（元旦の料理）と入力しました

②プロンプトを入力して Enter キーをクリックすると画像が生成される

最初に自動的に4枚生成されます。［U1］をクリックすると1枚目が拡大して描画（アップスケール）され、［V1］をクリックすると1枚目のバリエーション画像が生成されます

HINT

自作の画像を一覧表示する

MidjourneyでつくったIMAGE

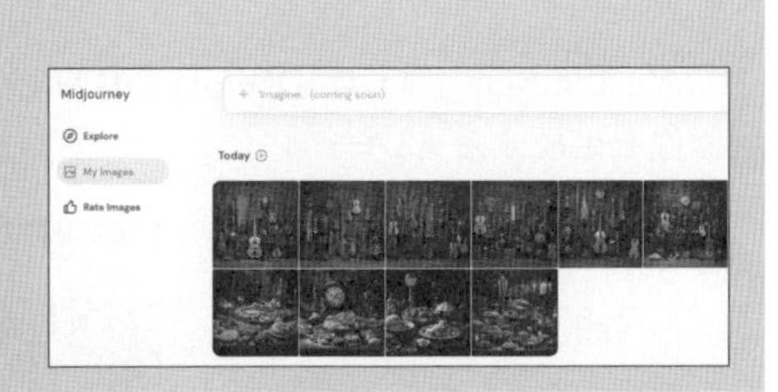

HINT

コマンドについて学ぶ

Midjourneyは「/imagine」といった「/」で始まるコマンドと呼ばれる命令が多数用意されており、うまく利用することで多彩な画像を生成できるようになります。英語のみで少しハードルは高いですが、日本語で解説したブログ記事なども多数存在しますので探してみましょう。

●Command List
https://docs.midjourney.com/docs/command-list

SECTION 79

生成AI黎明期からある有名どころ

ローカルPCで画像生成するなら Stable Diffusion

使用AI　Stable Diffusion（https://stability.ai/）

推し ポイント　Stable Diffusionは英国のStability.aiが提供するオープンソースの画像生成AIです。モデルをダウンロードして自宅のPCで制限なしに画像生成できるのが魅力です。

Stable Diffusionとは

Webブラウザから Stable Diffusionを利用できるサービスもありますが（次のセクションで紹介）、Stable DiffusionはモデルおよびUI（モデルを利用するためのツール。複数存在する）を使って自分のPCで画像を生成しているユーザーが多いことが特徴です。

NVIDIA製のハイエンドGPUが必須になるなど導入のハードルが高いため、使い方は割愛します。このAIで生成された画像の商用利用は認められていますが、学習の元となる画像が商用利用を認められていない場合は問題となる可能性があるので注意しましょう。

Stable Diffusion XL

「Stable Diffusion XL」は、OpenAIのDALL-E 3と同様、テキストや画像から新しい画像を生成するAIモデルです。膨大なデータセットで訓練された最新の基礎モデル「Stable Diffusion XL」は、従来のモデルよりも画像の解像度と画質が向上、生成速度も速くなっています。

Stable Diffusion XL
Get involved with the fastest growing open software project. Download and join other developers in creating incredible applications with Stable Diffusion XL as a foundation model.

Stable Diffusion web UI

多くのユーザーに使われている「Stable Diffusion web UI」の画面を紹介します。プロンプト以外にも多数のパラメーターを調整できます。こちらもオープンソースなので、対応する拡張機能なども活発に公開されており、多少の技術があれば自由度の高いAI画像生成ができます。

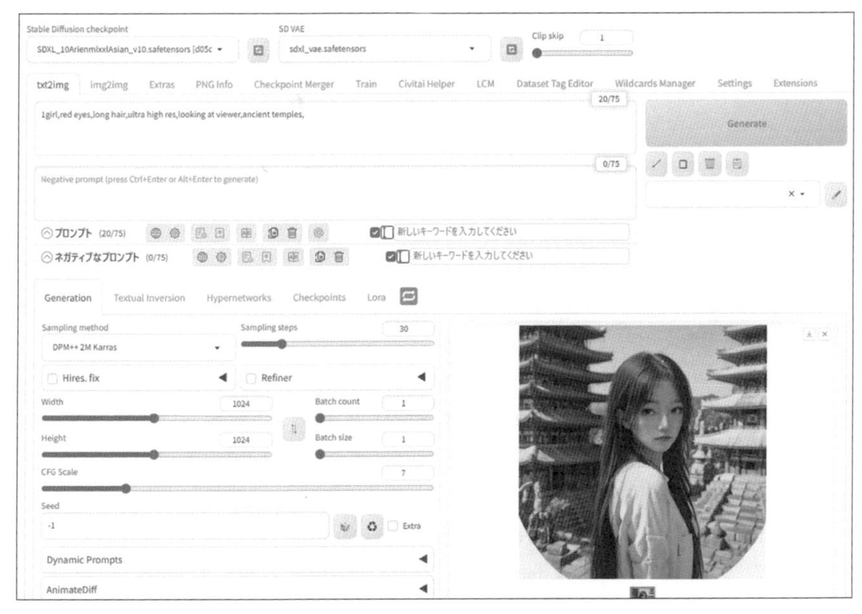

参考：https://github.com/AUTOMATIC1111/stable-diffusion-webui

HINT

さらに高速化されたSDXL Turboも

Stable Diffusionなどの画像生成AIは、通常20〜40程度のステップ数で画像を生成するのですが、高速化されたSDXL Turboは高品質の画像をわずか1〜4ステップで生成できるようになりました。その結果、環境にもよりますが1秒以下で画像を生成できるようになったため、いよいよAI生成動画も視野に入ってきました。

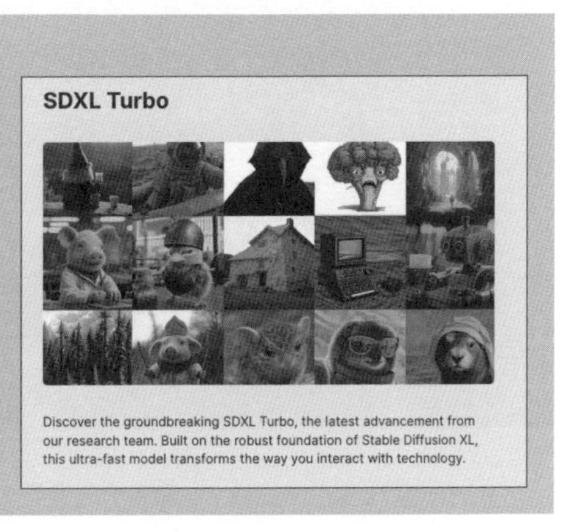

SDXL Turbo
Discover the groundbreaking SDXL Turbo, the latest advancement from our research team. Built on the robust foundation of Stable Diffusion XL, this ultra-fast model transforms the way you interact with technology.

SECTION 80

ネット経由で高機能生成AIを

Stable Diffusionの画像生成をWebブラウザで使おう

使用AI DreamStudio（https://dreamstudio.ai/generate）

推しポイント ローカルではなくインターネット経由でStable Diffusionを利用したいときはDreamStudioを使いましょう。有料ですが、従量課金制なので使いたい分だけ支払いをして、気軽に利用できます。

DreamStudioを利用する

Stable Diffusionはローカルでの運用が主流ですが、**DreamStudioというWebブラウザで利用できるサービスも用意**されています。

プロンプト、ネガティブプロンプトはもちろん、アップスケール（拡大）やお手本となる画像をもとに画像を生成する「Image2Image」にも対応しており、最初から画像を生成するだけではなく、生成した画像をもとにディテールアップしていくという使い方も可能になっています。

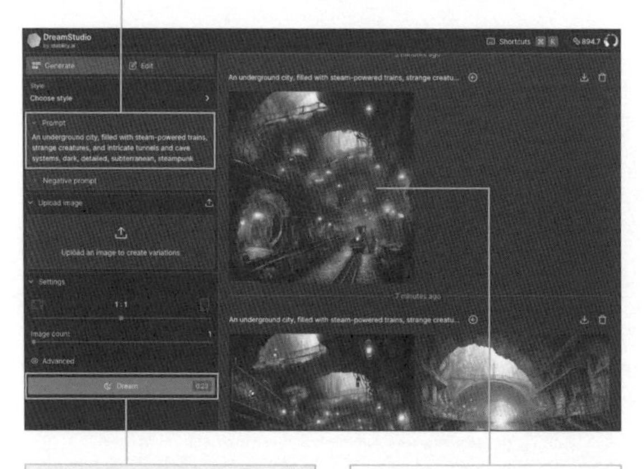

①左上の［Prompt］の入力欄に指示文（英語）を入力
ちなみに、ここで入力した指示文は、「An underground city, filled with steam-powered trains, strange creatures, and intricate tunnels and cave systems, dark, detailed, subterranean, steampunk」です
② ［Dream］をクリック
画像が生成されました

［Style］を選択することで、画風を簡単に変更することも可能です

HINT

作成された画像について

作成された画像にはプロンプトなどの情報が完全に記録されています。ほかの人の作品からプロンプトを参考にするのもいいでしょう。

HINT

利用料金について

利用にはクレジットを購入する従量課金制となっており、1,000クレジット（10米ドル）で約5,000枚の画像を生成できます。

HINT

より細やかなエディットも可能

［Edit］画面では、複数の画像をレイヤー上に重ね合わせたり、画像の一部を消去したりといった細かいエディットが可能になっています。完成した画像はpngファイルとして書き出しが可能です。

SECTION 81

Stable Diffusionをもとにした機能も

便利なAIお絵描きツール集 Clipdropを使ってみよう

使用AI Clipdrop（https://clipdrop.co/ja）

推しポイント ClipdropはStable Diffusionを開発するStability.aiが運営する、AIを利用して画像を生成・編集するためのツールを多数集めたサービスです。

Clipdropを利用する

Clipdropには AIを活用した画像編集のための強力なツールが多数集められています。

最新の画像生成AIモデル**「Stable Diffusion XL」や「SDXL Turbo」を利用した画像生成はもちろん、背景除去、オブジェクト除去、画像アップスケーリングといった多様な編集機能が用意**されています。これらは各機能をクリックし、画像をアップロードするだけで使うことができます。無料では機能が限られますが、すべての機能を利用したい場合は、月額13米ドル（年間払いの場合は9米ドル）の「Pro」プランを契約する必要があります。

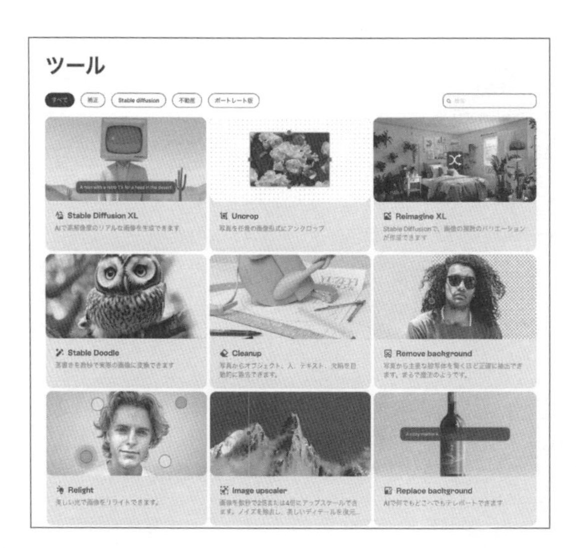

画像生成、背景除去、オブジェクト除去など便利な機能がWebブラウザ上で利用できます。画像生成にはStable Diffusionを利用した機能もあります

Reimagine XL

「Reimagine XL」は、Stable Diffusionで1つの画像から複数のバリエーションを生成できる機能です。

手持ちの写真をWebブラウザにドラッグ＆ドロップしてアップロードすると、自動的に複数のバリエーションで、違う雰囲気の画像を生成してくれます

Stable Doodle

「Stable Doodle」は、マウスで描いた落書きを数秒で実際の画像に変換できるツールです。

Webブラウザ上でマウスを使って絵を描き、プロンプトを入力して［生成］をクリックすると、落書きが画像に変換されます

Cleanup

「Cleanup」は、写真からオブジェクト、人物、テキストなどをきれいに除去するツールです。

マウスで消したい部分をマスクして［消去］をクリックすると、その部分が自然な形で消えます

SECTION 82

指示文の書き方で迷ったら

画像生成プロンプトをChatGPTに作ってもらおう

使用AI ChatGPT ほか

推しポイント DALL-E 3、Midjourney、Stable Diffusionといった画像生成AIで思い通りの画像を作るためのキモはプロンプトです。ChatGPTに相談してみたら、いい言い回しが見つかるかもしれません。

プロンプトをChatGPTに相談する

自然言語プロンプトから画像を生成する「Text2Image」と呼ばれるタイプのAIは、いかに適切なプロンプトを作成できるかが重要です。とはいえ、プロンプトだけで思い通りの絵を描くことの難しさは画像生成AIを扱う誰もが味わうことではないでしょうか。では、**最適なプロンプトをChatGPTに作ってもらう**というのはどうでしょうか？　精度を上げるために、ここでは英語でプロンプトを作成してもらうことにします。

プロンプト入力例

DALL-E 3で「古代遺跡の石柱の間をスラロームで駆け抜けるロボット」の絵を描くためのプロンプトを英語で作成して

応答例

```
An advanced robot performing a slalom between stone
pillars of an ancient ruin, showcasing agility and speed,
with detailed ancient carvings on the pillars, set in a
lush, overgrown jungle environment. The scene is dynamic,
capturing the motion of the robot as it swiftly maneuvers
around the pillars. The robot is sleek and futuristic in
design, contrasting with the weathered and aged appearance
of the ruins.
```

プロンプトを各種画像生成AIで実行

上記のプロンプトをこれまで解説したImage Creator（DALL-E 3）、Midjourney、Dream Studio（Stable Diffusion）で実行したところ、下図のようにかなり複雑なシチュエーションを見事に再現してくれました。

1つ目はImage Creator from Designer（DALL-E 3）でプロンプトを実行した場合。「スラロームで駆け抜ける」というニュアンスがよく出ています

2つ目は同じプロンプトをMidjourneyで実行したところ。ロボットの形状がまったく異なっています

3つ目は同じプロンプトをDream Studio（Stable Diffusion）で試した場合です

HINT

AIの使い分けが有効

このように、同じプロンプトでもAIモデルによって生成される画像は異なります。バリエーションが欲しい場合は、プロンプトの工夫はもちろん、使用するAIを変えてみるのも1つの手でしょう。

SECTION
83

何でもない写真が一気に映える

スマートフォンで撮った写真の背景を変更する

使用AI　CapCut（App Store、Google Playで入手）

推しポイント　スマートフォンで商品の写真を撮影した際、背景に余計なものが写ってしまって困ったことはないでしょうか？　そんなときこそ、スマートフォンで手軽に使えるアプリ版生成AIの出番です。

CapCutの「AI背景」機能を使う

スマートフォンで商品撮影（いわゆるブツ撮り）をすると、背景が汚かったり余計なものが映り込んでしまったりする場合があります。本来であれば照明や撮影場所などを工夫するべきですが、**AIを使ってお手軽に背景を変更してしまう**という大技もあります。

①CapCutを起動し、［商品の写真］（または［AI背景］）をタップ

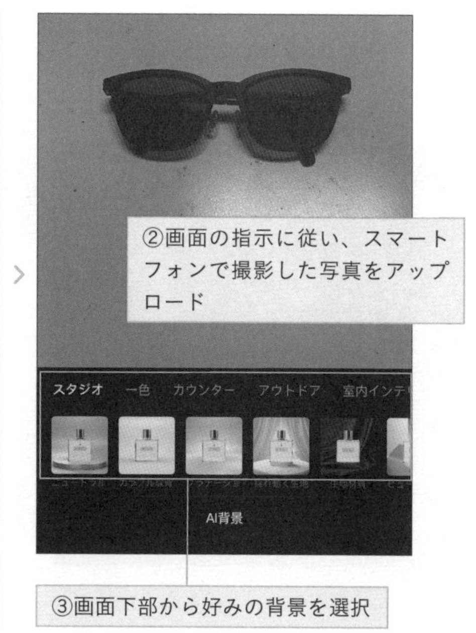

②画面の指示に従い、スマートフォンで撮影した写真をアップロード

③画面下部から好みの背景を選択

しばらく待つと背景が適用されます。きれいに商品が切り抜かれていることを確認しましょう

④別の背景を適用したい場合は、他の背景を選択

⑤背景が決まったら、右上の［エクスポート］をタップ

［写真］アプリなど、スマートフォン既定のアプリ内に画像が保存されます

SECTION 84

高品質なテンプレートが豊富

Adobe Expressで商用利用可能な素材を作成

使用AI Adobe Express（https://new.express.adobe.com/）

推しポイント Adobe Expressは、AIを活用したオールインワンのクリエイティビティアプリです。生成AI機能の「Adobe Firefly」を内蔵しており、プロンプトによる画像生成などが可能です。

Adobe Expressで商用利用可能な素材を作成

Adobe Expressは、**PhotoshopやIllustratorといったクリエイティブ系アプリで有名なAdobeが提供するAIファーストの思想で開発されたWebブラウザで動作するアプリ**です。

プロンプト（指示文）からの画像生成はもちろん、生成塗りつぶしやテキスト効果といったAI機能のほか、SNSや動画作成に役立つ商用利用可能な豊富なテンプレートやデザイン素材（一部は有償）も用意されているため、好みのものを選んでいくだけで洗練された画像を作成できます。

テキストから画像生成

①左上の入力欄に指示文を入力

②［生成］をクリック

ここではプロンプトに「カラフルなサンゴ礁の庭の複雑なディティールのタツノオトシゴ」と入力しています

指示文に応じて、画像が生成されます

豊富なテンプレート

画像生成だけではなく、多数の画像、動画、背景素材、SNSのテンプレートなどが用意されており、［探す］をクリックすると一覧表示されます。商用利用可能なので、そのままチラシや動画などに利用しても問題ありません。ただし「王冠」のマークが付いている素材を使用するには、プレミアムプランに加入する必要があります。

Instagram（投稿・リール・ストーリーズ）、TikTok動画、YouTubeサムネイルといったテンプレートを使えば、簡単にセンスのいい投稿を用意できます。

①メインメニューの［探す］をクリック

②［テンプレート］［写真］［動画］などから好きなものを選択

人気のテンプレート

フィルター

Instagram ストーリーズ

TikTok 投稿

［人気のテンプレート］の［Instagramストーリーズ］で、［すべて表示］をクリックした例です

HINT

クイックアクションが便利

Adobe Expressには簡単な操作でトリミングやサイズ・フォーマット変更といった作業ができるクイックアクションと呼ばれる機能が多数用意されています。やりたいことが決まっている場合はここから始めるといいでしょう。

HINT

プレミアムプラン

無料プランとプレミアムプランが用意されており、無料プランでもある程度の作業なら十分実用になりますが、月額1,078円または年間10,978円のプレミアムプランに登録すると、すべてのテンプレートおよびデザイン素材が使えるようになるほか、20,000を超える商用利用可能なAdobe Fontsも利用できます。

SECTION 85

Photoshopやillustratorに搭載

Adobeの生成AI技術 Adobe Fireflyをブラウザで使う

使用AI　Adobe Firefly（https://firefly.adobe.com/）

推しポイント　Adobe Fireflyは、Adobeが提供する生成AI機能の総称です。Webブラウザから利用できるほか、Adobe Express、Photoshop、Illustratorといった主力アプリにも搭載されています。

多くのAdobe製品で使えるAdobe Firefly

Adobe FireflyにはWebブラウザで使える単体アプリと、その他のAdobe製品と連携し、アプリ上で利用できるものがあります。画像生成機能を利用するには「生成クレジット」が必要になりますが、クレジットは毎月配布され、1クレジット＝画像生成1回として利用できます。無料プランでは月に25クレジット、プレミアムプラン（680円／月）に入ると月に100クレジット配布されます。

テキストから画像生成

①［プロンプト］欄に指示文を入力

必要に応じて［スタイル］を指定することで、好みの画風に寄せることができます。この機能はWebブラウザ版だけではなく、Adobe Express、Adobe Photoshopでも利用できます

②［生成］をクリック（クリック後は［更新］ボタンに変わる）。再度クリックすると、再生成する

生成再配色

「生成再配色」機能は、プロンプトでベクターアートワーク（SVG）のカラーバリエーションを生成する機能です。Webブラウザ版だけでなくAdobe Illustratorでも利用できます。

2つのAIモデルが選択可能

Adobe Fireflyには、「Firefly Image 1」「Firefly Image 2」の2つのAIモデルが使われています。特に後者は2023年11月より正式公開が始まった最新版で、英語以外の言語におけるテキストプロンプトからの出力精度が向上し、「文化的なコンテクストをより高い精度で理解した上で画像を生成できる」ものになっているとのことです。

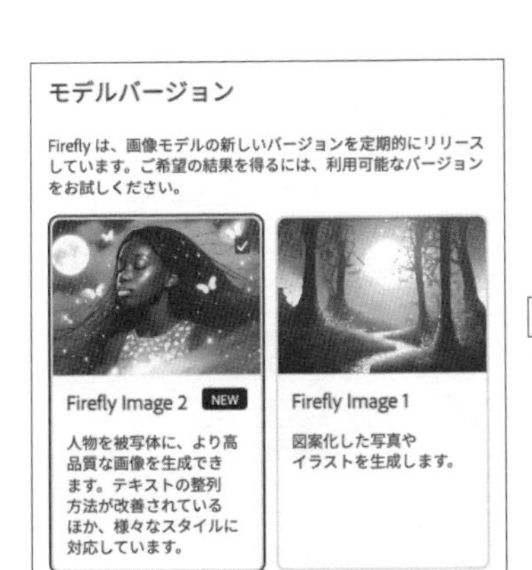

HINT

新機能も続々追加予定

今後も3D画像や手書きスケッチからの画像生成など、さまざまな新機能の追加が予告されています。普段Adobeのツールを使っているクリエイターはこまめにチェックしておくといいでしょう。

SECTION 86

あの超有名な画風をそのままに

いらすとや風の画像を生成する

使用AI　AI いらすとや（https://aisozai.com/irasutoya）

推しポイント　イラストレーターのみふねたかし氏が運営する、無料イラストを提供するサイト「いらすとや」風の画 像を無料で生成できるサービスです。ちょっとしたイラストが欲しいときに最適です。

AIいらすとやとは

「AIいらすとや」は、**プロンプトを入力するだけで「いらすとや」風のデザインが生成される生成AIサービス**です。プロンプトからの生成以外にも、すでに完成しているイラストが多数登録されているので、検索して近いものを探すという使い方もできます。

無料プランは、画像生成が月に20枚、ダウンロードは3枚と制限されており、ライセンス表示も必須ですが、月額1,480円または年額11,760円のProプランに契約すると無制限になり、商用利用も可能になります。商用に使いたい場合は加入したほうがいいでしょう。

① ［プロンプト］欄に指示文を入力（ここでは「お雑煮を食べる女の子」と入力した）

プロンプトは日本語でOKですが［AIでプロンプトを最適化］をクリックすると、よりプロンプトへの忠実度が高まるよう英語で再構築してくれます

② ［生成］をクリック

HINT

透かしを削除するには

生成された画像は、無料版の場合、月に3枚のみ「AIいらすとや」の透かしを削除することができます（ダウンロードすると自動的に消えます）。Proプランに契約すると無制限に透かしを削除できます。

欲しい画像のイメージが決まっているなら検索が早い

キーワードによる画像検索も可能です。画像生成より早いので、まずは検索してみて、欲しい画像がなかった場合のみイラストを生成するといいでしょう。

［イラストを検索］の欄で、キーワードから既存のイラストを検索することもできます

ワンポイント 「AI素材.com」も利用可能に

Proプランに契約すると、「AIいらすとや」と同じくAI Picassoが運営する「AI素材.com」が提供する豊富なAI素材を利用することも可能です。

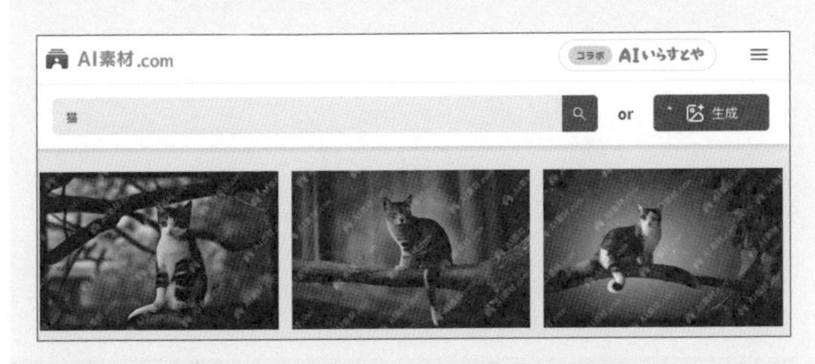

COLUMN

画像生成AIと著作権問題

画像生成AIの台頭は、著作権の概念を新たな次元へと導いています。特に、日本では「AIによる学習用途に関して著作権を認めない」という世界的に見ても稀な法的立場をとっており、この問題に国際的な視点から光を当てています。

この立場は､AIによる創造性と著作権保護の間の緊張関係を象徴しています。日本では､AIが生成した作品には著作権が認められないため､AIが学習プロセスで使用する既存のアートワークや画像に対する著作権侵害の問題が生じます。これは、クリエイターの著作権を守ると同時に、技術の進歩と革新を促進するという2つの目標が衝突する状況を示しています。

一方で､AIによる画像生成がもたらす創造性の拡大は、芸術とテクノロジーの新たな融合を示しています。これらのツールは、プロンプトに基づいて、既存のスタイルやテーマを踏襲しつつ、独自のアートワークを生成する能力を持っていますが、自分たちの作品が無許可でトレーニングデータとして使用されていることに不満を示すクリエイターもいます。

著作権法は､AIのような新しい技術の登場に対応するために進化し続ける必要がありますが、それは国際的な枠組みの中で一貫した取り組みが必要です。日本の法的枠組みは、この問題に対する1つのアプローチを示していますが、世界的なスケールでの合意形成は依然として未解決です。

この件は、芸術の創造性、テクノロジーの進歩、そしてクリエイターの権利のバランスをどのように取るかという、より広い倫理的な問題に触れています。AIの進化は私たちのクリエイティブな表現の仕方を変える可能性を秘めていますが、その進化は著作権という重要な倫理的課題と密接に結び付いています。今後､AIと人間社会の共存において、どのようなバランスを見つけることができるのか、この問題はAIと芸術の交差点で重要なテストケースとなるでしょう。

第8章

クリエイティブに役立つ！音楽生成AI

SECTION
87

音楽制作に生成AIはどう使う？

ChatGPTに歌詞とコード進行を考えてもらう

使用AI ChatGPT、ChatGPT Plus

推し ポイント 音楽を作る人で、メロディーは思い浮かぶけれど歌詞が思い付かないという人もいるでしょう。それならいっそのこと、ChatGPTに歌詞を考えてもらうのはどうでしょうか？

作曲は難しいが、歌詞なら得意

DTM(デスクトップミュージック)の世界もAIによって大きく進化しています。特にミキシングやマスタリングといった、**最後に音量や楽器のバランスなどを整える工程ではAIを利用したソフトが普及しており、誰もが簡単な操作でそれなりの品質を確保できる**ようになっています。とはいえ、単なる趣味として利用するには音楽専用のソフトは高額です。

ではChatGPTを使って作曲はできないでしょうか？

結論から言うと、作曲はまだできません（いずれはできるようになるでしょう）が、**歌詞なら書くことができる**ようです。では試してみましょう。

プロンプト入力例

「新しい旅立ちの期待と不安」をテーマにした曲を書きます。歌詞を考えてください

この場合、単に「歌詞を考えて」ではなく、テーマを与えたほうがうまくいきます。

応答例

「新しい旅立ちの期待と不安」というテーマに合わせた歌詞を考えてみました。以下の歌詞は、新しいスタートのドキドキとそれに伴う不安感を表現しています。
[1番]
静かな朝、窓を開けて
新しい風を感じる
歩き始める、知らない道
心は期待で震えて
[サビ]

でも、見えない明日が怖い
一歩踏み出すたびに
新しい世界、待っている
旅立ちの歌、胸に響く

ChatGPTにコード進行を考えてもらう

次はメロディーですが、ChatGPTに聞いてはみたものの、「できない」と言われてしまいました。では、メロディーではなくて伴奏用のコード（和音）ならどうでしょう？

プロンプト入力例

ギター用にコード進行を考えて

応答例

「新しい旅立ちの期待と不安」をテーマにした曲のためのギター用コード進行を考えてみました。このテーマには、不安感を和らげつつも、前向きな期待感を高めるような進行が適しているでしょう。以下に一例を示します。
イントロ＆バース(1番と2番)
Am – G – C – F
Am – G – C – E
この進行は、少しメランコリックな雰囲気を持ちながらも、明るいCメジャーコードによって希望を感じさせます。Eメジャーコードが緊張感を加え、期待と不安の混ざり合う感情を表現します。
サビ
F – C – G – Am
F – C – G – E
サビでは、より明るく力強い感じのFメジャーコードから始めます。CとGを通して安定感を持たせつつ、AmとEで感情の高まりを示します。
――省略――

バッチリ対応してくれました。ギターやピアノの心得がある人なら、ここまであれば曲にすることは不可能ではないでしょう。

HINT

演奏ソフトでコード進行を聴いてみよう

「Chord Player by OneMotion」のようなサービスを使えば、このように生成してもらったコードを入力すると好みの音色で伴奏（コード進行）を演奏してくれます。それに合わせて歌ってみましょう。

●**Chord Player by OneMotion**
https://www.onemotion.com/chord-player/

SECTION 88

雰囲気を選択するだけで手軽に作曲

歌詞からメロディーとコード進行を作ってもらう

使用AI　CREEVO（https://creevo-music.com/）

推しポイント　前セクションとは逆のパターンで、「詞は書けるんだけれど曲が作れない」という場合はどうでしょうか？　もちろん作曲や演奏ができるAIも出てきています。

自動作曲AIのCREEVOを使おう

「歌詞だけ作ったんだけれど、さてどうしよう」という状態で止まってしまっている場合、とりあえずAIに歌わせてみるのはどうでしょう？

「CREEVO」は京都大学の研究グループが開発している自動作曲AIです。**ゼロから曲を作る「おまかせ作曲」と、歌詞やコードなどを指定して曲を作ってもらう「デザイン作曲」の2つのメニューがあります**が、今回は後者を使い、前セクションでChatGPTに作ってもらった歌詞にメロディーを付けて歌ってもらいましょう。

CREEVOにアクセスして、［CREEVOで作曲する］→［デザイン作曲］を選択しておきます

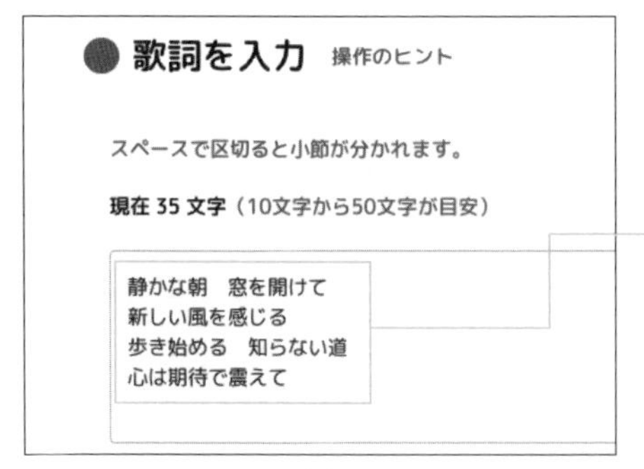

歌詞を入力
操作のヒント
スペースで区切ると小節が分かれます。
現在 35 文字（10文字から50文字が目安）
静かな朝　窓を開けて
新しい風を感じる
歩き始める　知らない道
心は期待で震えて

①歌詞を入力して［次へ］をクリック

現在 8 小節（2小節～12小節まで）

^し_ずかな^あ_さ　^ま_どをあ^けて・
あ^たらし_いか^ぜ　をかんじるー
あ^る_きは^じめる　し^らないみち・
こ^こ_ろわき^たい　でふるえて

②歌詞の読みがなを確認し、［次へ］をクリック

このとき、アクセントを置きたいところや伸ばしたいところなどを細かく指定できます

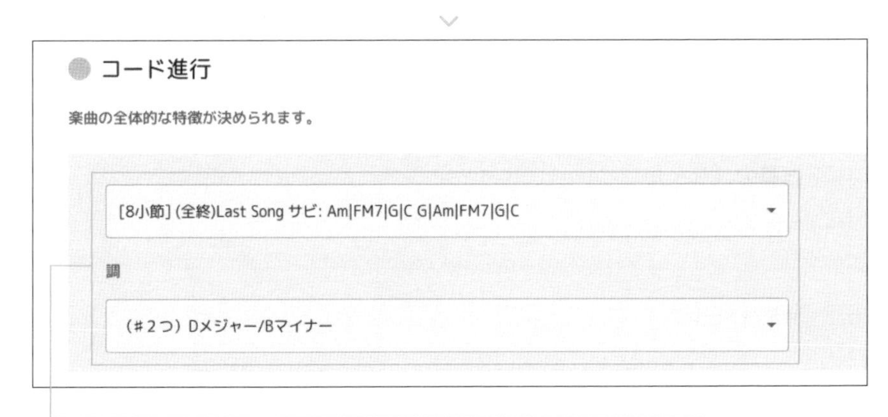

③コード進行を指定

プリセットが多数用意されているので、適当に選ぶだけでも大丈夫です

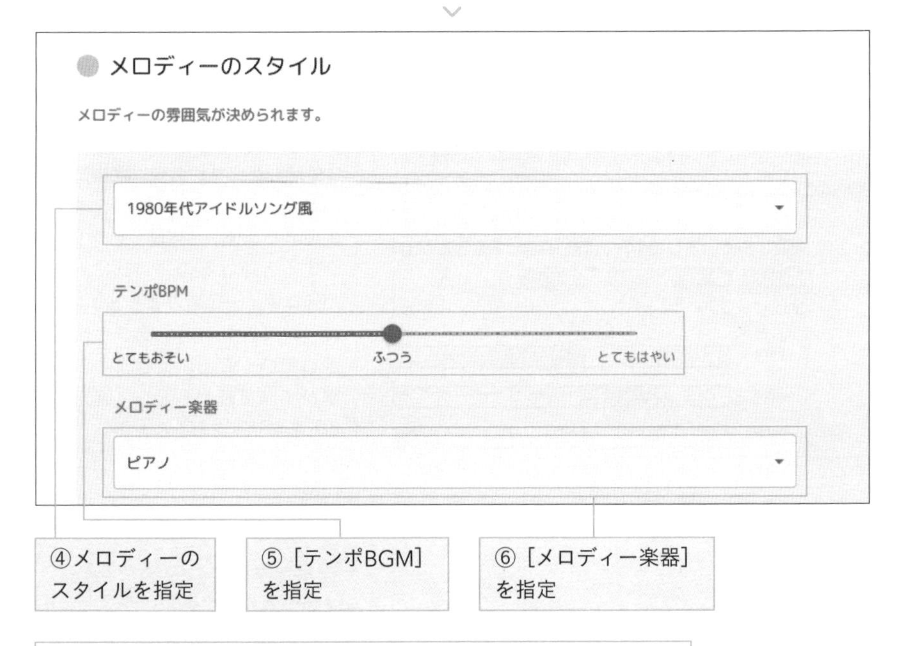

④メロディーのスタイルを指定

⑤［テンポBGM］を指定

⑥［メロディー楽器］を指定

スタイルには「○○風」といった選択肢が多数設けてあるので、好みのものを選びましょう

⑦伴奏のスタイルを指定

［伴奏パターン1］と［伴奏パターン2］を指定できますが、ここではすべてデフォルトのままにしました

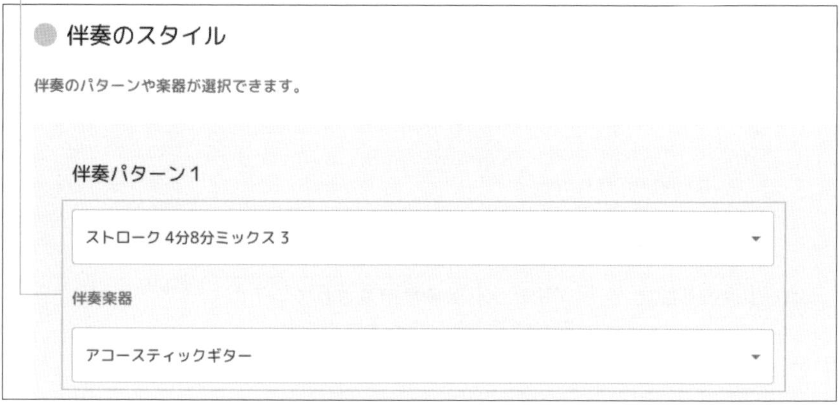

伴奏のスタイル

伴奏のパターンや楽器が選択できます。

伴奏パターン1

ストローク 4分8分ミックス 3

伴奏楽器

アコースティックギター

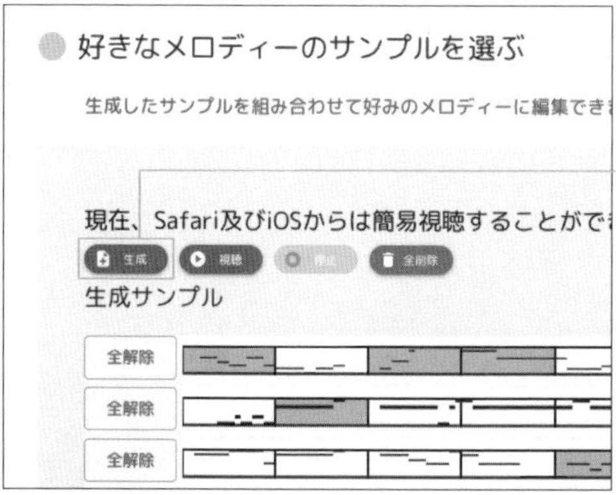

⑧［生成］をクリック

好きなメロディーのサンプルを選ぶ

生成したサンプルを組み合わせて好みのメロディーに編集でき

現在、Safari及びiOSからは簡易視聴することができ

生成　視聴　停止　全削除

生成サンプル

全解除

全解除

全解除

［生成］をクリック後、歌詞に合わせたメロディーが数パターン生成されます。［視聴］をクリックすると聴けるので、気に入ったメロディーを選びましょう。なお、メロディーは小節ごとに指定していくことができます。設定がすべて終わったら［確定する］をクリックしましょう

静かな朝

PID : 341217

静かな朝　窓を開けて

新しい風を感じる

歩き始める　知らない道

心は期待で震えて

合成歌声版

0:00 / 0:22

HINT

データのダウンロード

楽曲データを完成させるのに1分ほどかかります。作成したデータは⋮ボタンをクリックして、ダウンロードも可能です。ダウンロードデータにはボーカルと演奏、それぞれ別々のデータや、電子楽器を制御できるMIDIデータ、楽譜を印刷できるMuseScoreデータなども含まれています。

SECTION 89

作詞や作曲ができなくても問題なし

プロンプトを書くだけで楽曲を生成する

使用AI　Stable Audio（https://www.stableaudio.com/）

推しポイント　作詞や作曲ができなくても問題ありません。Stable Audioを使えば、曲のジャンルや雰囲気をプロンプトとして入力するだけで音楽ファイルを生成できるのです。

Stable Audioで楽曲を生成してみよう

Stable Audioは、画像生成AIのStable Diffusionで知られるStability.aiが開発した、プロンプトを元に楽曲ファイルを生成するAIです。Stable Diffusionと同じく「潜在拡散モデル」と呼ばれる技術を用いて事前に大量の音楽データで学習されており、**プロンプトを元に45秒（有料版は90秒まで）の楽曲データを生成**できます。

Stable Audioのサイトにアクセスし、[Try it out]をクリックすると、アカウント作成画面が表示されます。既存のGoogleアカウントでサインアップが可能です。

①プロンプト欄に、音楽ジャンル、曲調、楽器、ムードなどを表す英単語をカンマ区切りで入力

rhythmical（リズミカル）、groovy（グルーヴィー）といった音楽的な言葉とbeautiful（美しい）、sad（悲しい）といった感情的な言葉を組み合わせると、よりよい結果が得られます

プロンプトを考えるのが難しい場合は、[Prompt Library]をクリックすることで、サンプルが自動的に入力されます

②[Generate]をクリック

しばらく待つと楽曲が生成されます

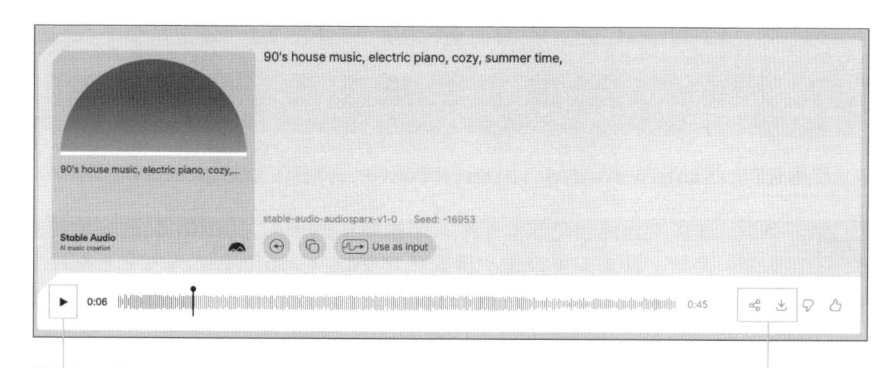

③ここをクリックして再生

シェアボタンから公開リンクの作成や動画（MP4）によるダウンロードが行えます。また、ダウンロードボタンからはMP3、WAV、MP4（動画）形式を選んでダウンロードできます

HINT

できた楽曲を元にバリエーションを作る

気に入った曲ができたら、[Use as input] をクリックすることで、その曲をベースに別の曲（バリエーション）を作ることも可能です。

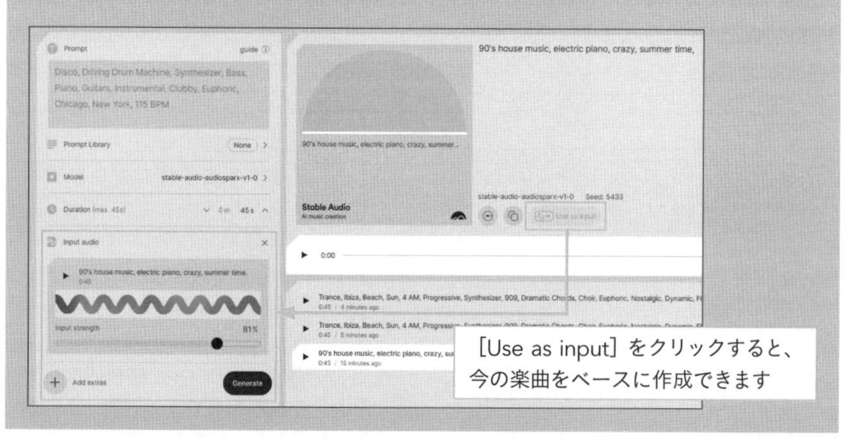

[Use as input] をクリックすると、今の楽曲をベースに作成できます

HINT

有料版なら無制限に生成できる

無料版では1か月に20曲しか生成できませんが、月額11.99米ドルのProfessionalプランに契約すると、500曲に増える上、楽曲の長さも45秒から90秒に、さらに商用利用も可能になります。

歌える曲が手軽に。動画にもできる

プロンプトを書くだけでボーカル入りの曲を生成する

使用AI Suno AI（https://www.suno.ai/）

推しポイント ここまで、作詞・作曲・編曲をAIにやらせてきましたが、なんと「Suno AI」はその3つを完璧にこなすだけではなく、簡単な動画まで作成できてしまいます。

Suno AIとは

これまでも作曲AIはたくさん登場していますが、「Suno AI」は生成する楽曲のクオリティが格段に高く、普段からAI関連の情報を追っている人だけではなく、音楽制作関係者の間でも「これはすごい！！」とバズっているサービスです。

作曲・編曲はもちろん作詞までできてしまうため、音楽知識やセンスがまったくない人でも一瞬で曲が作れてしまいます。

無料でも1日10曲生成できますが、Proプラン（8米ドルから）、Premierプラン（24米ドルから）に契約すると、生成できる曲数が増える上に商用利用も可能になります。

Suno AIでボーカル入りの曲を作る

Googleアカウントなどでサインアップした後、［Create］をクリックすると、プロンプト欄が表示されます。どんな曲を作ってほしいかを入力（日本語可）し、［Create］をクリックするだけで楽曲が2つ生成されます。

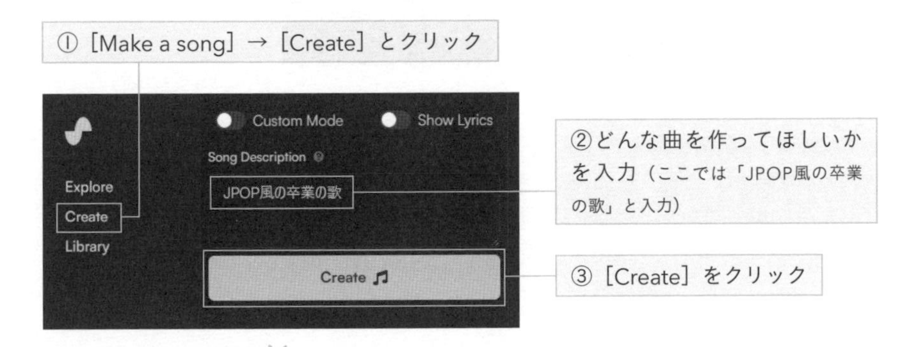
①［Make a song］→［Create］とクリック
Custom Mode
Show Lyrics
Song Description
Explore
Create
Library
JPOP風の卒業の歌
②どんな曲を作ってほしいかを入力（ここでは「JPOP風の卒業の歌」と入力）
Create
③［Create］をクリック

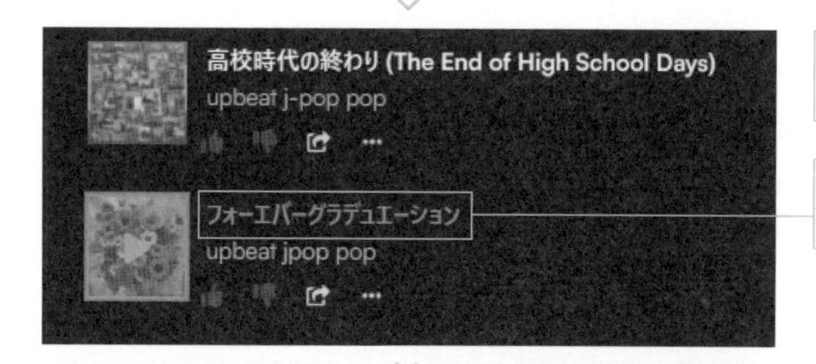

高校時代の終わり (The End of High School Days)
upbeat j-pop pop
フォーエバーグラデュエーション
upbeat jpop pop

しばらく待つと2曲が生成されます

④曲のタイトルをクリック

0
フォーエバーグラデュエーション
upbeat jpop pop
Play
今日が最後の日 駆け足した高校生活
友達と過ごした 全てが宝物
思い出はずっと 心に残るよ
感謝の気持ちで 今歌うんだ

プロンプトから生成された、サムネイル、タイトル、歌詞が表示されます

⑤［Play］をクリック

生成された歌詞をボーカルが歌う楽曲が再生されます

HINT

MVのような動画作成まで可能

生成した楽曲は［…］→［Download Audio］からダウンロードできます。ここで、［Download Video］をクリックすると、歌詞を表示した動画（MP4）をダウンロードすることもできます。簡単なMV（ミュージックビデオ）のようなものが作れるわけです。

オリジナルの歌詞や曲名から作曲してもらう

［Custom Mode］をオンにすると、歌詞（Lyrics）、曲調（Style of Music）、曲名（Title）を入力して、オリジナリティのある曲を生成することができます。ちなみにこの歌詞はChatGPTに書いてもらいました。

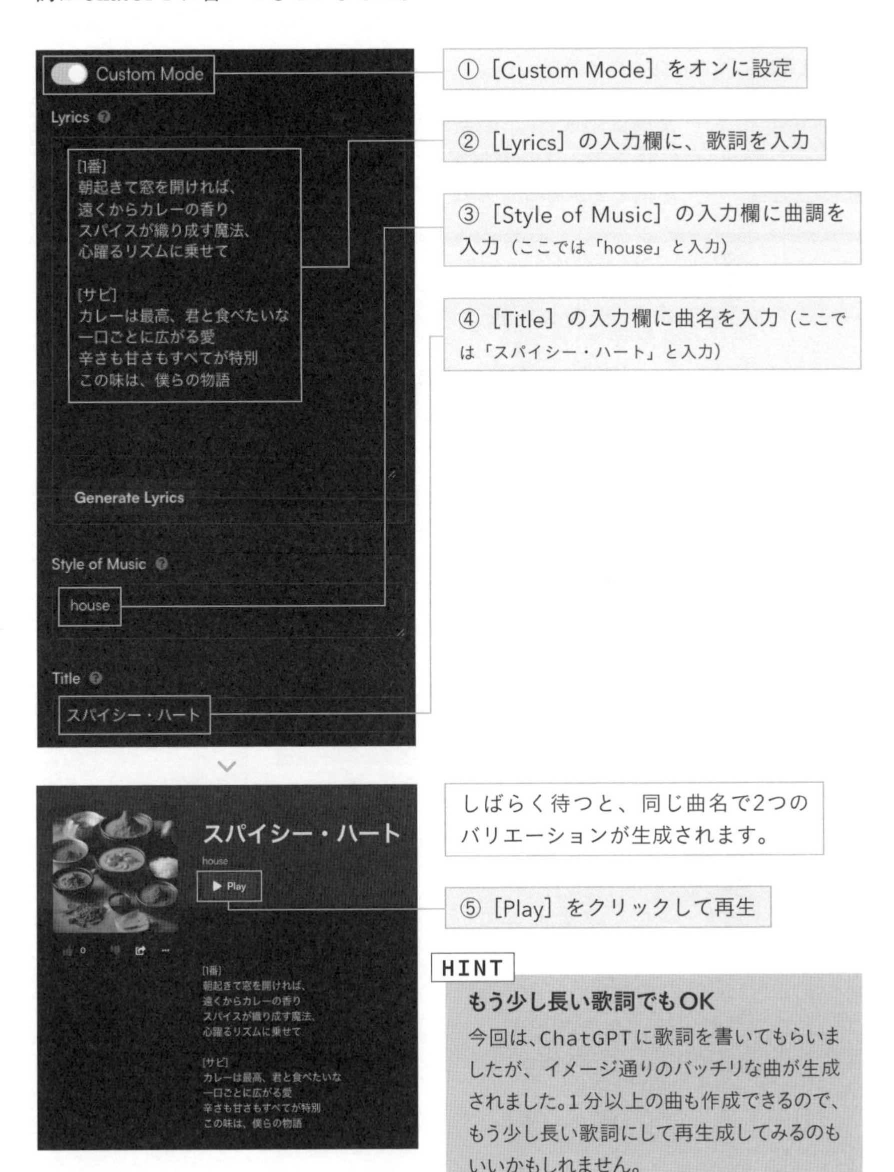

Custom Mode
Lyrics
[1番]
朝起きて窓を開ければ、
遠くからカレーの香り
スパイスが織り成す魔法、
心躍るリズムに乗せて
[サビ]
カレーは最高、君と食べたいな
一口ごとに広がる愛
辛さも甘さもすべてが特別
この味は、僕らの物語
Generate Lyrics
Style of Music
house
Title
スパイシー・ハート
①［Custom Mode］をオンに設定
②［Lyrics］の入力欄に、歌詞を入力
③［Style of Music］の入力欄に曲調を入力（ここでは「house」と入力）
④［Title］の入力欄に曲名を入力（ここでは「スパイシー・ハート」と入力）
スパイシー・ハート
house
Play
しばらく待つと、同じ曲名で2つのバリエーションが生成されます。
⑤［Play］をクリックして再生

HINT

もう少し長い歌詞でもOK

今回は、ChatGPTに歌詞を書いてもらいましたが、イメージ通りのバッチリな曲が生成されました。1分以上の曲も作成できるので、もう少し長い歌詞にして再生成してみるのもいいかもしれません。

SECTION 91

プロンプトを読み上げてもらおう

読み上げアプリを使ってナレーションを作る

使用AI VOICEVOX（https://voicevox.hiroshiba.jp/）

推しポイント 音声合成は生成AIが爆発的に進化する前からAIが得意としていた分野です。プレゼンテーションやYouTube動画に気軽にナレーションを入れることができます。

VOICEVOXでナレーションを作成する

VOICEVOXはpixivが開発し、**無料で公開しているテキスト読み上げソフトウェア**です。Mac、GPU搭載のWindows PCと、NVIDIA製GPU搭載のLinux PCに対応しています。公式サイトの［ダウンロード］からインストーラーを入手して、パソコンにインストールして使ってください。

使い方はとても簡単。使いたいキャラを選んでプロンプトを入力するだけです。「萌え」を意識したキャラクターに抵抗を感じる人もいると思いますが、声自体はそこまで萌え萌えしていないので、フォーマルなコンテンツに使用しても問題ありません。

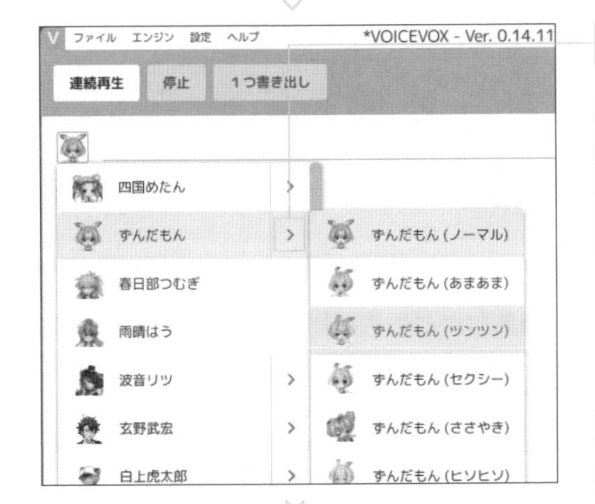

②話し方を選択

選択したキャラクターによって「ささやき」や「ヘロヘロ」など、さまざまな話し方を指定できます

③話させたい言葉を入力し、［Space］キーを押す

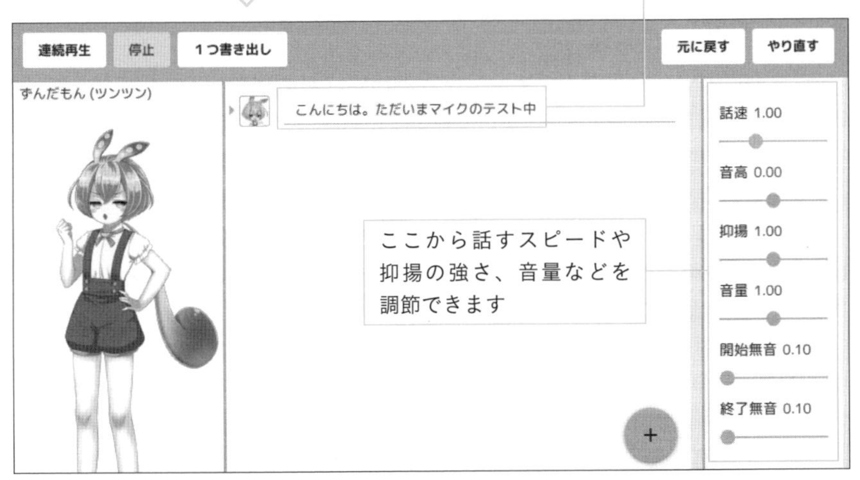

ここから話すスピードや抑揚の強さ、音量などを調節できます

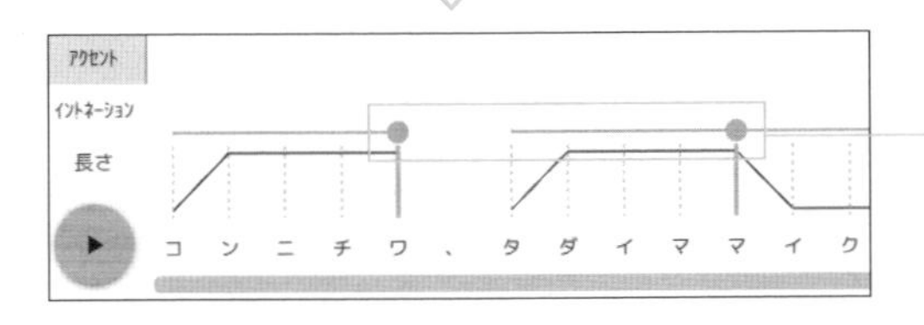

下部のスライダーをドラッグして調整することで、アクセントやイントネーションを細かく指定できます。これにより、かなり自然なしゃべり方になります

HINT

作った音声は商用利用できるの？

VOICEVOXで作成された音声は、クレジットを表記すれば商用・非商用問わず使用できます。ただし、キャラクターの画像に関してはキャラクターごとに異なるので確認が必要です。

SECTION 92

自分の声がまったく違うものに！

リアルタイムで声を変えられるボイスチェンジャー

使用AI Parakeet.VC（https://www.parakeet-inc.com/parakeet-vc）

推しポイント 音声合成は生成AIが爆発的に進化する前からAIが得意としていた分野です。プレゼンテーションやYouTube動画に気軽にナレーションを入れることができます。

Parakeet.VCで音色をチェンジしてみよう

Parakeet.VCは福島県のベンチャー企業Parakeetが開発したWindows & Mac対応のボイスチェンジャーアプリです。これまでもMMVCやRVCといったボイスチェンジャーはありましたが、操作が煩雑な上、元になっている声の権利問題などもあったため、新たなアプリが求められていました。

本アプリには「ずんだもん」などのキャラクターを含む**男女計109種類の声が収録されており、ユーザーはそれらを選び、マイクを使って話せばリアルタイムにキャラクターの声に変換することができる**のです。

さまざまな用途が考えられますが、キャラクターと組み合わせてVTuberを作成するのが最近のトレンドです。ただし、ディープフェイクにも応用が可能なため、利用には細心の注意を払う必要があります。

現在はまだ試用版（α版）のため、無料で利用できますが、近日中に一部ボイスが有料化されるようです。

公式サイトからインストーラーを入手して、パソコンにインストールし、アプリを起動します

①［起動］をクリック

まず、AIがうまく認識できるよう、事前に自分の声を録音します

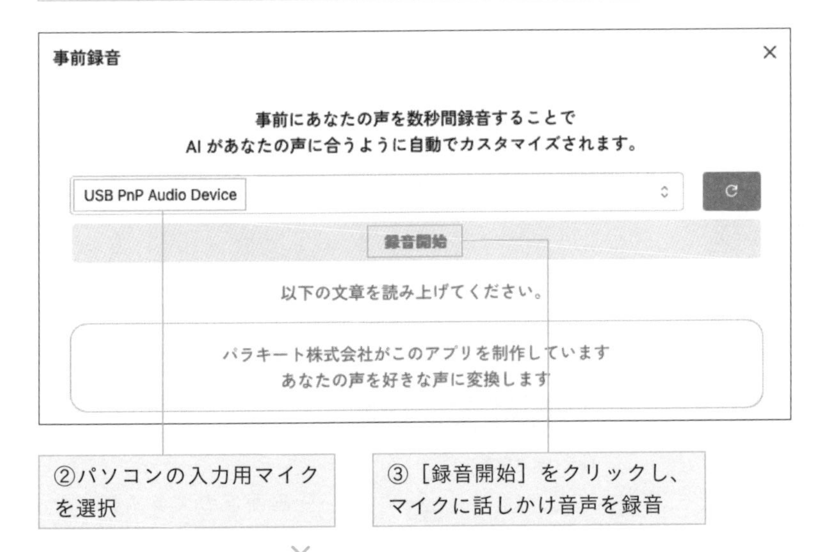

②パソコンの入力用マイクを選択

③［録音開始］をクリックし、マイクに話しかけ音声を録音

次に変換したい声を選びます。109種類の声が用意されています

④［男性］［女性］［キャラクター］から声のタイプを選択

⑤スライダーをドラッグして、声の［低い］［高い］を調節

⑥［入力デバイス］（マイク）と［出力デバイス］（スピーカー、オーディオインターフェースなど）を指定

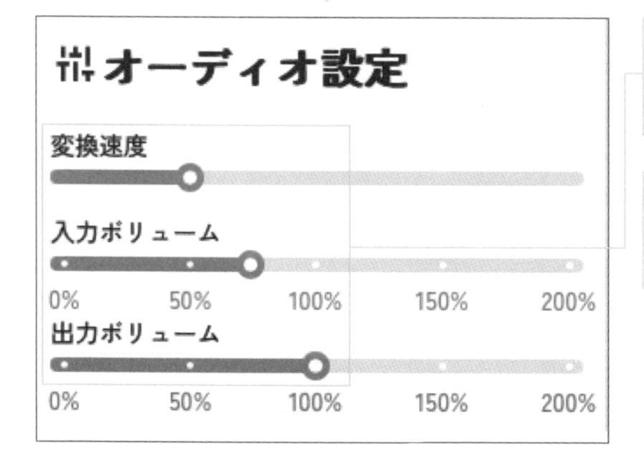

⑦［変換速度］［入力ボリューム］［出力ボリューム］を調整

変換速度を早くすると遅延が少なくなりますが、そのぶんノイズが増えます

⑧モードを選択（ここでは［単一話者モード］を選択）

⑨画面下のスライダーを［ON］に設定

マイクに向かって話しかけると、自分の声がリアルタイムで変換されてスピーカーに出力されます

HINT

声をブレンドすることも

上記の手順⑧で、モードを［ブレンドモード］に設定すれば、「男性・女性・キャラクター」のように、複数の声をブレンドさせた声を作成することもできます。

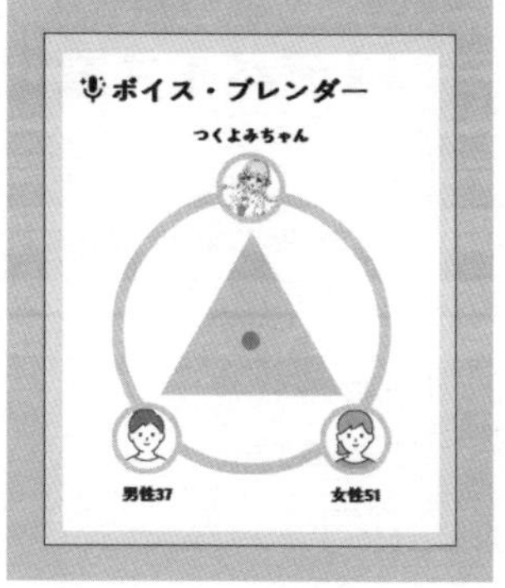

第9章

驚きの生成結果が。動画AIの世界

SECTION 93

無料で数秒の動画生成が試せる

テキストや画像から手軽に動画を生成する

使用AI Runway（https://runwayml.com/）

推しポイント Runwayは、Stable Diffusionの開発に関わったスタートアップRunwayが提供する、動画生成・編集をメインにしたAIプラットフォームです。画像やテキストから手軽に動画を生成できます。

Runwayとは

Runwayは、**生成AIによる動画作成および編集に特化したサービス**です。特筆すべきは商用でも十分に通用する画像のクオリティを出せること。無料でも数秒の生成を試せますが、月額12米ドルの有料プランに加入することで、作成できる秒数も増えていきます。

Runwayでは「Gen-1」および「Gen-2」と呼ばれる2つの動画生成AIモデルを使用しています。前者は既存の映像を変換することに主眼を置いているのに対し、後者はStable Diffusionのようにプロンプトから短い動画を作成することが可能になっています。

動画をベースに生成する「Gen-1」

②［Image］で画像を、［Prompt］でテキストを入力して指示

［Presets］はサービス側が用意した絵柄を選べます。ここでは［Presets］のうち［Iso］を選択しました

③［Generate video］をクリック

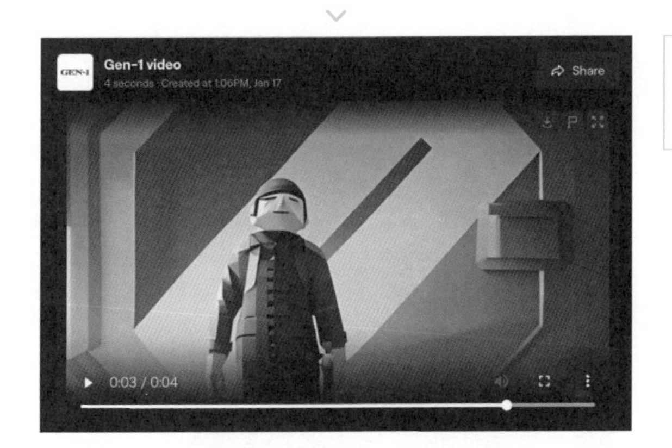

プリセットの絵柄が反映された4秒の動画が生成されました

テキストや画像をベースに生成する「Gen-2」

「Gen-2」ではテキストや画像データをベースに、ゼロから動画生成ができます。Runwayにサインインしたら、トップページの［Start with Image］か［Start with Text］をクリックしましょう（どちらも同じ画面が表示されます）。

①［TEXT］（テキスト）、［IMAGE］（画像）、［IMAGE＋DESCRIPTION］（画像＋テキスト）のいずれかを選択

ここでは［IMAGE＋DESCRIPTION］を選択しました

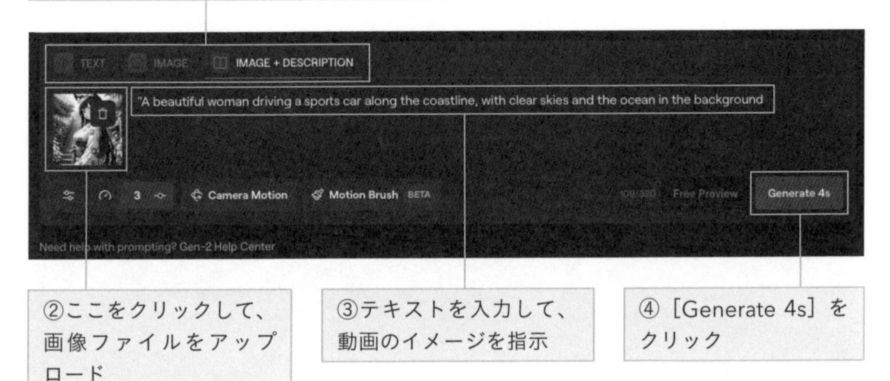

②ここをクリックして、画像ファイルをアップロード

③テキストを入力して、動画のイメージを指示

④［Generate 4s］をクリック

テキスト（プロンプト）は英語で入力します。ここでは、「A beautiful woman driving a sports car along the coastline, with clear skies and the ocean in the background」と入力しました

サンプル画像とプロンプトを元に4秒の動画が生成されました。サンプル画像の女性が後ろを振り返る動画になっていました

ほかにもさまざまな機能がある

Runwayにはこのほかにも、Text 2 Image、Image 2 Image、Text 2 Speech、アップスケール、背景除去、モーションブラー、カメラコントロールなどのクリエイティブツールが充実しています。また、チュートリアル動画も豊富に用意されており、誰でもAIを使った動画生成を学ぶことができます。

日本語にも対応！　スマートフォンで手軽に

スマートフォンで写真やテキストから手軽に動画を生成

使用AI　RunwayML (https://apps.apple.com/us/app/runwayml/id1665024375)

推しポイント　RunwayにはiOS用のスマートフォン版アプリが用意されています。PC版と同様に画像、テキスト、動画をもとに動画を生成できます。残念ながらAndroid版はまだ用意されていないようです。

スマートフォンで撮った写真から動画を生成する

生成AI、特に動画を生成するにはかなり強力なPCパワーが必要になるので、通常これらのサービスはAI処理をユーザーのPCではなく、クラウド上の強力なサーバーで行っています。

となれば、逆に利用する側のPCパワーはあまり必要ないとも言えます。その証拠に、多くの動画生成AIにはスマートフォン版アプリも用意されています。ここでは**RunwayのiOSアプリRunwayMLを使って動画生成を試してみましょう。スマートフォンで撮影した写真をもとに、手軽に動画を生成できて便利です。**

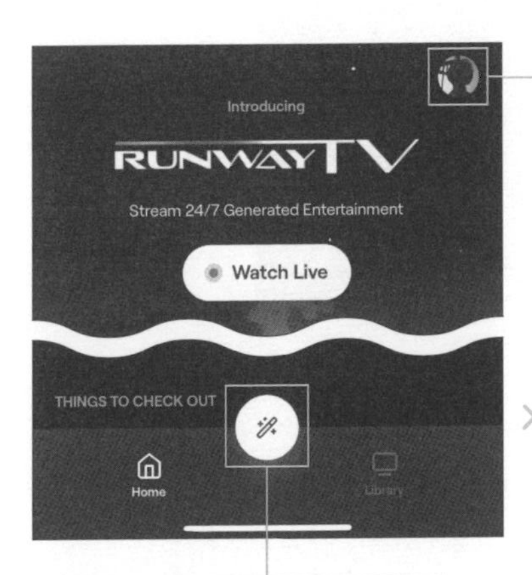

アプリを起動したら、ログインしましょう。Googleアカウントでサインアップできます。サインアップは下記の手順を進めていくと、促されるのでその時点で行うのが楽でしょう

①下部中央のマジックワンドアイコン（Create）をタップ

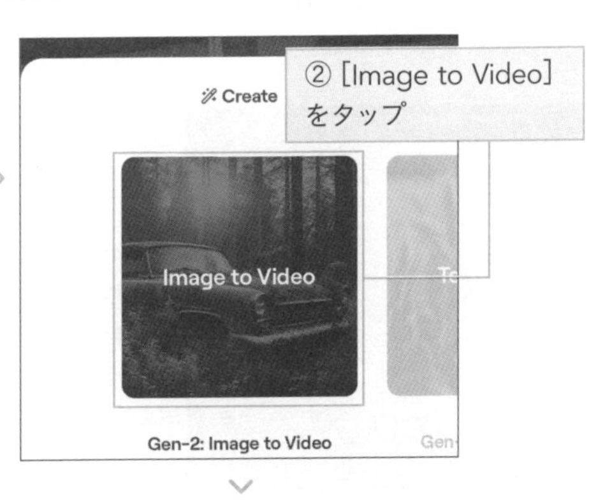

②［Image to Video］をタップ

Add description (optional)
Director mode
Generate 4s

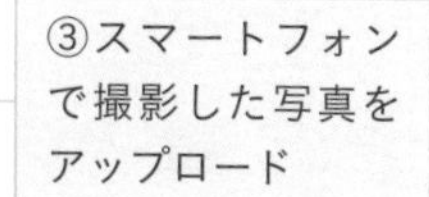
③スマートフォンで撮影した写真をアップロード

④［Generate 4s］をタップ

Creation 1
Created 1 minute ago
1枚の顔写真から、右側に顔を振り向ける動きが付いた4秒の動画が生成されました
Share
Extend 4s
Reuse Prom

テキストから動画を生成する

次にテキストから動画を生成してみましょう。どうやら日本語でも通じるようです。

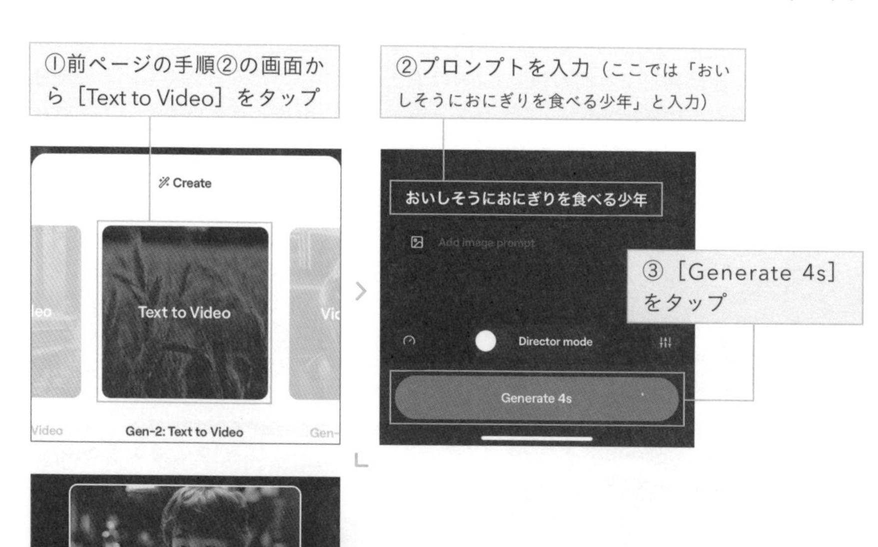
①前ページの手順②の画面から［Text to Video］をタップ
②プロンプトを入力（ここでは「おいしそうにおにぎりを食べる少年」と入力）
Create
Text to Video
Gen-2: Text to Video
おいしそうにおにぎりを食べる少年
Add image prompt
③［Generate 4s］をタップ
Director mode
Generate 4s

Creation 1
Created 2 minutes ago

動画が生成されました。残念ながらおにぎりはありませんが、プロンプトを工夫すれば簡単に出せるでしょう

豊富なカスタマイズ機能が魅力

テキストや画像から思い通りの動画クリップを作る

使用AI Pika（https://pika.art/）

推しポイント Pikaは、AIを活用して動画の生成と編集を行うツールを開発しているアメリカのスタートアップです。プロンプトおよび画像から3秒（それ以上も可）の動画を生成できます。

Pikaとは

Pikaは、前セクションで紹介した**Runwayと同様、AIを利用してプロンプトから短い動画を生成できるサービスです**。特徴は豊富な後処理機能があること。既存の動画をプロンプトとして使い、異なるスタイルに変換する「ビデオからビデオ」、動画のサイズやアスペクト比を拡大する「拡張」、既存のビデオクリップの長さをAIで延長する「延長」などが含まれています。

Googleアカウントでサインインすると利用できます。使い方は簡単で、プロンプトを入力して✦（生成）ボタンをクリックするだけです。

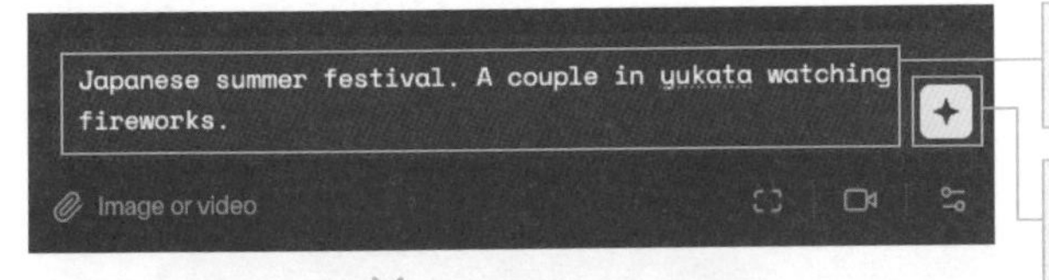

①プロンプト入力欄にテキストを入力

②✦（生成）ボタンをクリック

テキスト（プロンプト）は英語で入力します。ここでは、「Japanese summer festival. A couple in yukata watching fireworks.」と入力しました

3秒の動画が生成されました。無料版では、右下に「Pika」のウォーターマーク（透かし）が表示されます

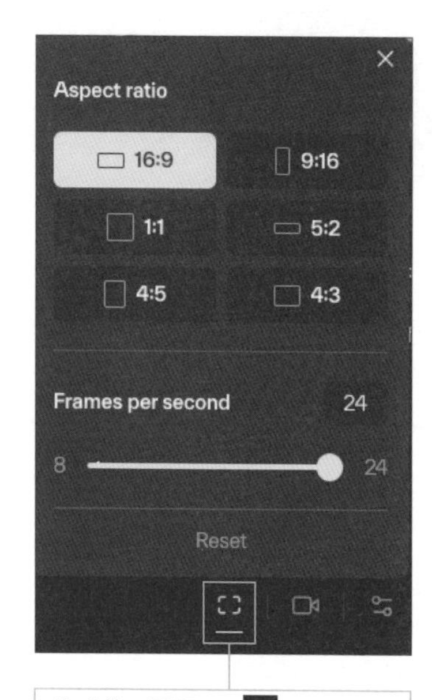

生成前に画面下の⛶をクリックすることで、アスペクト比とFPS数（1秒に何枚の画像を利用するかの値）を指定できます

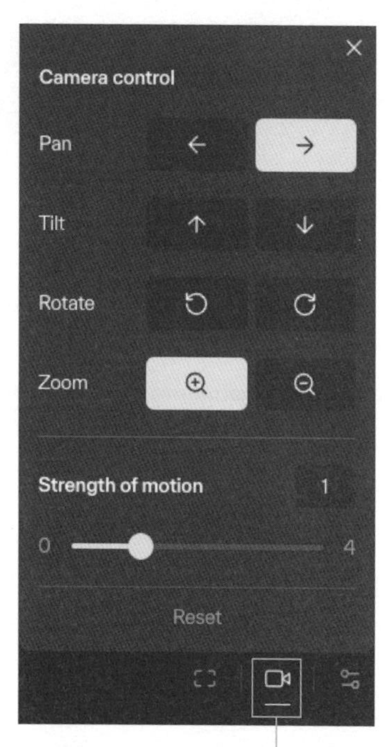

🎥をクリックすると、左右に振ったり（Pan）、上下に揺らしたり（Tilt）、ズームイン・アウトしたり（Zoom）などのカメラの動きを、［Strength of motion］で動きの激しさを指定できます

動画生成時にプロンプトに加えて、［Image or video］をクリックすると、既存の動画や画像を添付できます。それらの動画や画像をベースに動画を作成することも可能です

豊富な後処理機能

生成した動画の下欄にある［Expand canvas］をクリックすると、生成動画をもとにアスペクト比を変更することができます

［Modify region］をクリックすると、画面上の任意の場所に矩形を指定し、そこに「ヘリコプターを飛ばす」といった指示をして再生成することも可能です。ただし、プロンプトは英語なので「Helicopters are flying」のように入力しましょう

HINT

有料版の特徴

生成した動画には「Pika」というウォーターマーク（透かし）が表示されますが、有料版（Standard：月額10米ドル、Ultimate：月額35米ドル、PRO：月額70米ドル）を契約することで消すことができます。もちろん課金額に応じて月に生成できる動画の本数も増加します。なお、商用使用できるのは「PRO」プランのみになります。

SECTION 96

ビッグテックが開発中の動画生成AI

Stability.aiやMetaも動画AIを研究中

使用AI　Stable Video Diffusion、Emu Video（URLは本文内に記載）

推しポイント　Stable Diffusionを開発するStability.aiやMetaなどのビッグテックも生成動画AIを発表していますが、現在はデモサイトの公開にとどまっています。どのようなものか今のうちに見ておきましょう。

Stable Video Diffusion

Runwayと共に画像生成AIの開発に携わったStability.aiは、2023年11月にStable Diffusionをベースに動画生成AI「Stable Video Diffusion」を発表しました。

Stability AIは、**同モデルを研究目的でのみ使用するとしており、現段階ではローカル環境を構築しないと使えません**。ただし、将来的な商業利用に向けて、ユーザーからのフィードバックを積極的に求めています。

デモ動画では、プロンプト「Astronaut walking on the moon」（月面を歩く宇宙飛行士）から動画を生成しているところを見ることができます

https://stability.ai/news/stable-video-diffusion-open-ai-video-model

Emu Video

Metaによって開発された動画生成モデル「Emu Video」も、**プロンプトをもとに短い動画を作ることができる動画生成AI**です。現在のところソースは公開されていませんが、デモサイトで動作しているところを見ることができます。

最初にテキストプロンプトに基づいて画像を生成し、その後、その画像とプロンプトを使ってビデオを生成するという二段階の生成方式をとっているのが特徴です。

Emu Videoのデモサイトより。左側からプロンプトを変更すると右側の動画が変化します

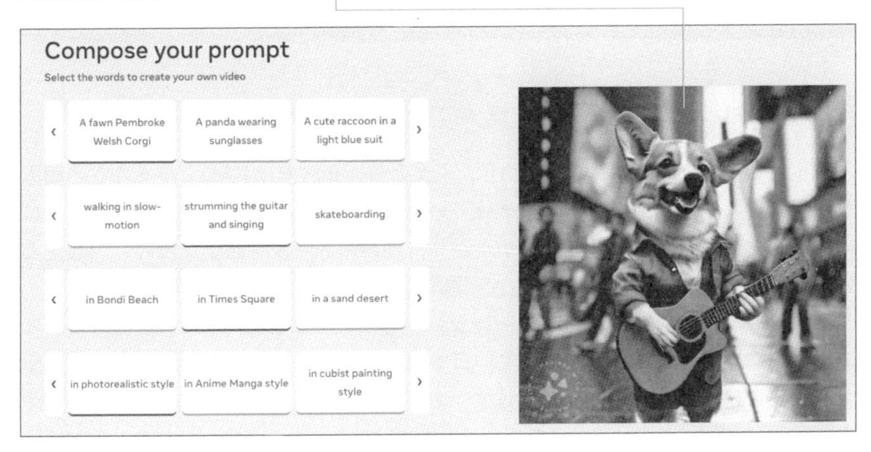

https://emu-video.metademolab.com/

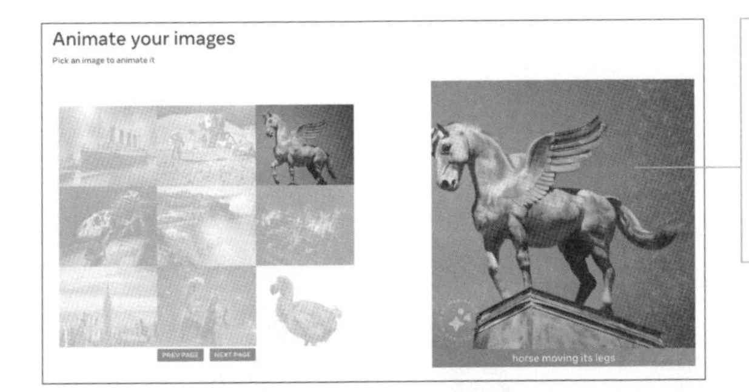

こちらは静止画から動画を作成する様子です。左側の画像に「horse moving its legs」（足を動かす馬）というプロンプトを組み合わせています

HINT

Stable Diffusionと同じ拡散モデルを使用

Emu Videoは、Stable Diffusionなどと同様に拡散モデルと呼ばれる技術を二段階に分けて使用しています。

SECTION
97

動画のイントロ部分の作成にも便利

アバターを使った ナレーション動画を生成する

使用AI　Elai.io（https://elai.io/）

推しポイント　Elai.ioはビジネスに特化したAI動画生成サービスです。テキストや資料をアップロードするだけで専門的で高品質なビデオコンテンツを作成することができます。

Elai.ioでナレーション原稿から動画生成

近年、ビジネスの世界でも商品紹介、企業研修、顧客向けFAQビデオなど、動画を使用したコンテンツの需要が高まっています。しかし、動画コンテンツの作成にはカメラやスタジオなどのコストがかかり、独自のスキルも必要なため、内製するのが困難です。

Elai.ioは、テキストからアバター(デジタルキャラクター)を使用した高品質なビデオコンテンツを作成できるツールです。日本語にも対応しているので、工夫次第で十分ビジネスに活用することができます。無料でも1分間までの動画を作成できますが、月額23米ドルのBasicプランまたは月額100米ドルのAdvancedプランに加入することで前者は15分、後者は50分の動画を作成可能になります。

Elai.ioはメールアドレスでアカウントを新規作成できます。アカウントを作成したらログインし、まずは利用するアバターを選択しましょう

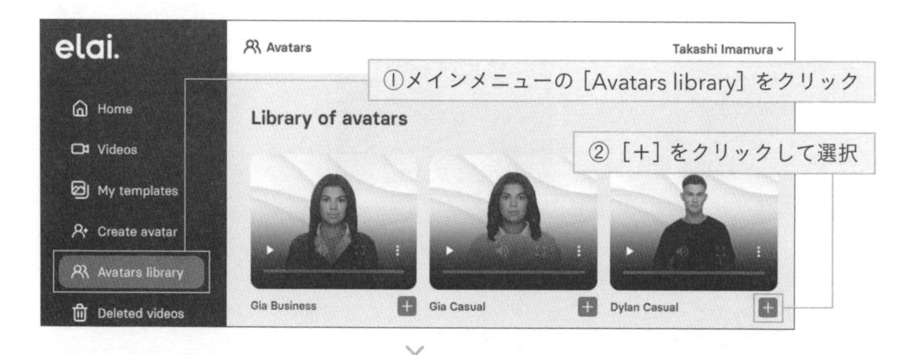

③ナレーション原稿を入力

ここでは「こんにちは、YouTubeの皆さん！私は田口和裕です。このチャンネルでは、最新のAI技術やトレンドについてお話ししていきます。AIと機械学習の進化は驚くべき速さで進んでおり、その最先端の情報をわかりやすくお伝えすることを目指しています。」と入力しました

④声の種類を選択

［▶］をクリックするとサンプルを聞くことができます

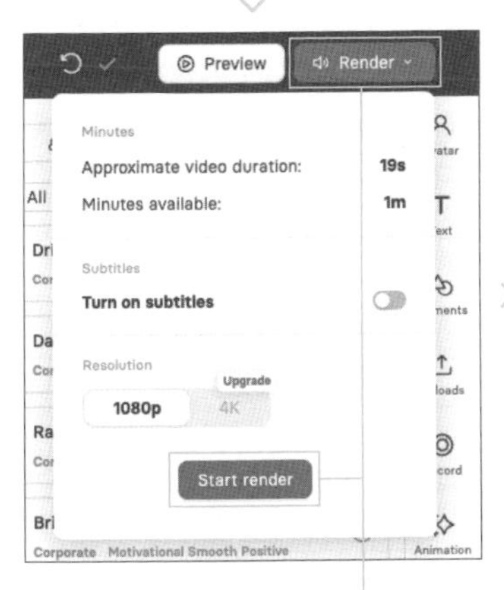

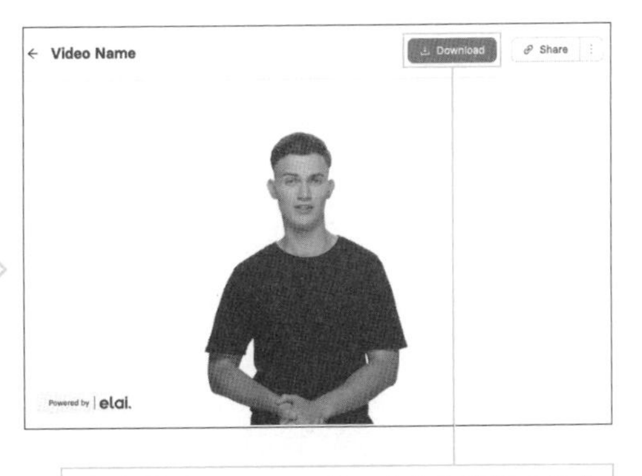

⑤画面右上の［Render］→［Start render］をクリック

生成動画はメールのリンクから確認できます。［Download］ボタンからダウンロードできるほか、有料版にすることで左下のウォーターマークを消すこともできます

HINT

有料でアバターの作成も

Elai.ioではスマートフォンで撮影した動画をもとにオリジナルアバターを作成してもらうことも可能です。料金は年間199米ドル、さらに年間399米ドルを支払うことでオリジナル音声を利用することもできます。

SECTION 98

記事の紹介動画を作るのに便利

Web記事の内容を要約した動画を作成する

使用AI　Pictory（https://app.pictory.ai/）

推しポイント　PictoryはElai.io同様、テキストから動画を生成できるAIサービスです。ここではWebページのアドレスを入力するだけで動画を作成できる機能を見てみましょう。

記事のURLを入力するだけで要約動画を生成

企業にとって、インターネットを使ったユーザーへの発信は近年どんどん重要度を増してきています。特に最近では、テキストではなく動画を使った発信が注目されていますが、制作ノウハウがなくて困っている人は多いのではないでしょうか。

Pictoryの「記事から動画へ」機能は、記事のURLを入力するだけで内容を要約した動画の作成が可能な上、英語（自動翻訳）や日本語による字幕も作成できます。無料でも利用できますが、作成できる動画は月3本、動画の文字起こしは1回となっています。

アカウントはGoogleアカウントでサインインすることで、利用できます。

①トップページにある「Article to Video」の入力欄に動画を作成したいページのアドレスを入力

②［Proceed］をクリック

数分間待つと、指定した記事をもとにした動画とスクリプト（字幕原稿）が自動生成されます

HINT

有料プランについて

月額19米ドルのスタータープラン、月額39米ドルのプロフェッショナルプランが用意されています。ただし字幕の読み上げはスタータープランでは英語、フランス語、ドイツ語、スペイン語、ポルトガル語、イタリア語、オランダ語のみとなっており、日本語のナレーションが必要な場合はプロフェッショナルプランを契約する必要があります。

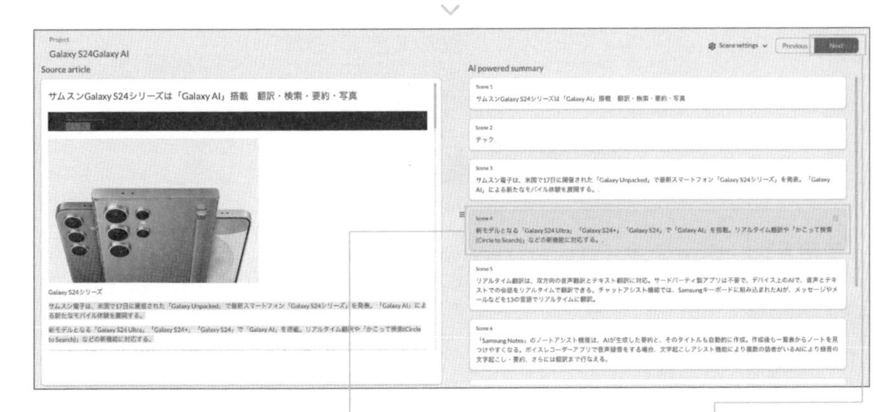

③スクリプトの気になる部分があればクリックして修正

④［Next］をクリック

［Preview］をクリックすると、生成前にプレビューできます

⑤必要に応じて、シーンごとにスクリプトをクリックして修正

⑥［Download］→［Video］をクリックして動画ファイルの生成を開始

Web記事の要約動画が生成されました。BGMも自動的に追加されています

SECTION 99

AIでピクセル数を2倍に生成

作成・生成した動画の解像度を上げる

使用AI　CapCut（https://www.capcut.com/）

推しポイント　作成した動画のサイズを大きくしたい場合は、AIによるアップスケールを試してみましょう。処理に時間はかかりますが、映像の品質もアップします。

CapCutの「動画アップスケーラー」を使ってみる

CapCutはTikTokで有名な中国のIT企業「ByteDance(バイトダンス)」が提供する無料の動画編集アプリです。主にTikTokで利用する動画の編集を想定しているためスマートフォン版アプリが主力ですが、実はPC版のアプリもかなり多機能です。

今回はその中にある「**動画アップスケーラー**」を試してみましょう。これは動画の解像度を2倍に拡大する機能です。これを使えば「1200×800」ピクセルの動画を「2400×1600」にできるということです。簡単な作業に思えるかもしれませんが、**解像度、つまりピクセル数を2倍にすることは、増えた分のピクセルをAIですべて生成している**ということで、かなり負担の大きい作業です。

Adobe Premiere ProやDavinci Resolveといった高機能動画編集アプリには標準的に用意されている機能ですが、**無料で利用できるCapCutは、まだかなり珍しい存在**です。

動画アップスケーラー
動画の解像度を上げて、質を損なうことなく鮮明にします。

CapCutのアカウントはGoogleアカウントで作成できます。作成したらログインしましょう

①メインメニューにある［マジックツール］→［動画アップスケーラー］をクリック

②動画をドラッグ&ドロップしてアップロード

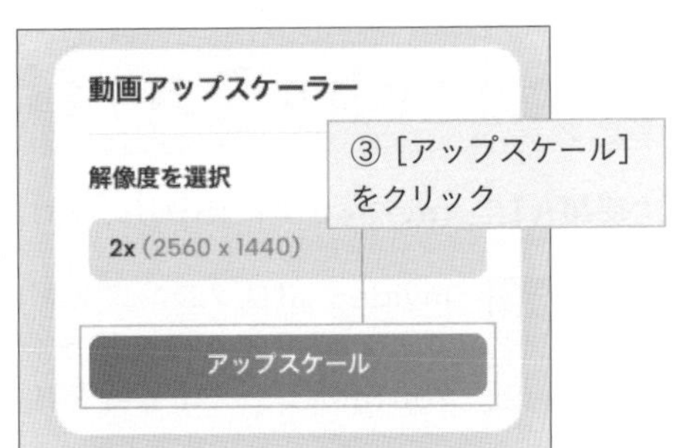

③［アップスケール］をクリック

動画が2倍にアップスケールされました

アップスケールした動画は、画面右上の［エクスポート］をクリックすると、ダウンロードはもちろん、TikTokをはじめとするSNSに共有することも可能です

HINT

ほかにも使えるAIツール

CapCutにはほかにも、［背景を削除］や、縦横比を変更する［動画のサイズを変更］、揺れを軽減する［動画の安定化］、［スーパースローモーション］といったAIを活用した静止画・動画用ツールが多数用意されています。TikTokはもちろん、それ以外の動画を作る際にも活用できます。

ナレーション付き動画をものの5分で

プロンプトから YouTubeショート動画を生成する

使用AI invideo AI（https://ai.invideo.io/）

推しポイント invideo AIはプロンプトをもとにYouTube、Instagram、TikTokなどで利用できる動画を作成できるサービスです。ここではYouTubeショート動画を試してみましょう。

YouTubeショート動画が簡単に作れる

スマートフォンカメラの普及・高性能化などの要因からか、Instagramのストーリーズや TikTokなど、近年縦長サイズの動画に人気が集まっています。YouTubeも2021年7月からYouTubeショートという縦長動画の投稿が可能になりました。

ここでは、**プロンプトをもとにストックフォトを利用した魅力的な動画を作成できる生成AIサービスinvideo AIを使って、プロンプトからYouTubeショート動画を作成**してみましょう。残念ながらこのサービスは日本語に対応していませんが、おそらく近い将来には対応すると思われます。ここでは「こんなに簡単にできるんだ」ということを知っていただければと思います。

invideo AIのアカウントはGoogleアカウントで作成できます。作成したらログインしましょう

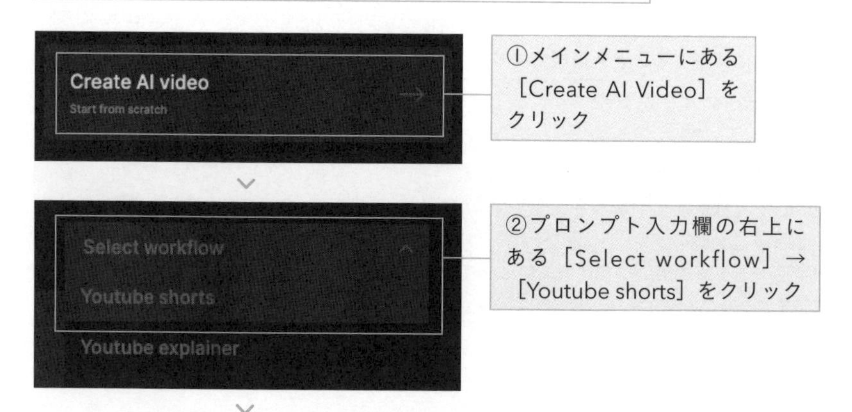

①メインメニューにある［Create AI Video］をクリック

②プロンプト入力欄の右上にある［Select workflow］→［Youtube shorts］をクリック

③プロンプトを入力

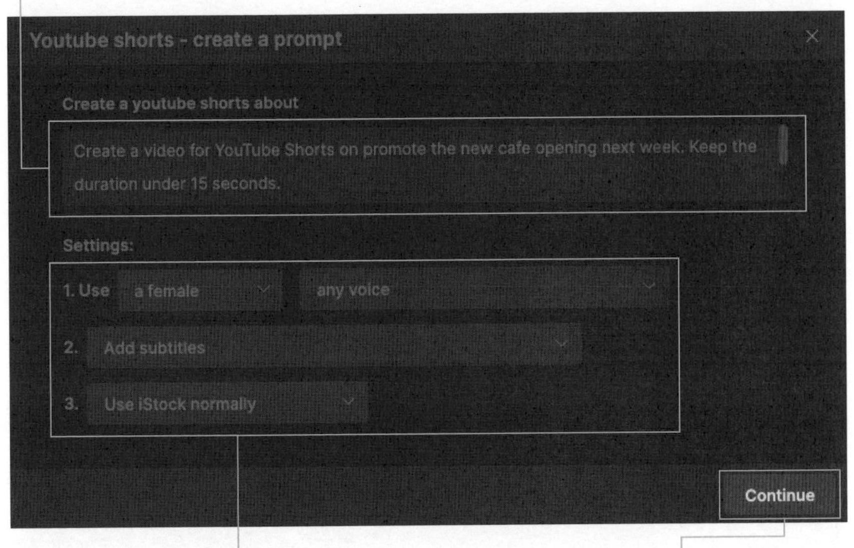

④設定は、上からナレーションの声、字幕の有無、ストック写真利用の有無を選択（ここではナレーションを［a female］に変更したのみ）

⑤［Continue］をクリック

プロンプト入力例

```
Create a video for YouTube Shorts on promote the new cafe
opening next week. Keep the duration under 15 seconds.
Cafe's name is 'Sunshine'. place is near koenji station.and
illustrate with relevant stock clips.
```

（日本語では「来週オープンする新しいカフェのプロモーションビデオをYouTubeショート用に作成してください。時間は15秒以内にしてください。カフェの名前は「サンシャイン」、場所は高円寺駅の近く。」といった意味になります）

Create a youtube shorts about Create a video for YouTube Shorts on promote the new cafe opening next week. Keep the duration under 15 seconds.
Cafe's name is 'Sunshine'. place is near koenji station.and illustrate with relevant stock clips. .
Settings: Use a female voice.
274/3000
Generate a video

⑥［Generate a video］をクリック

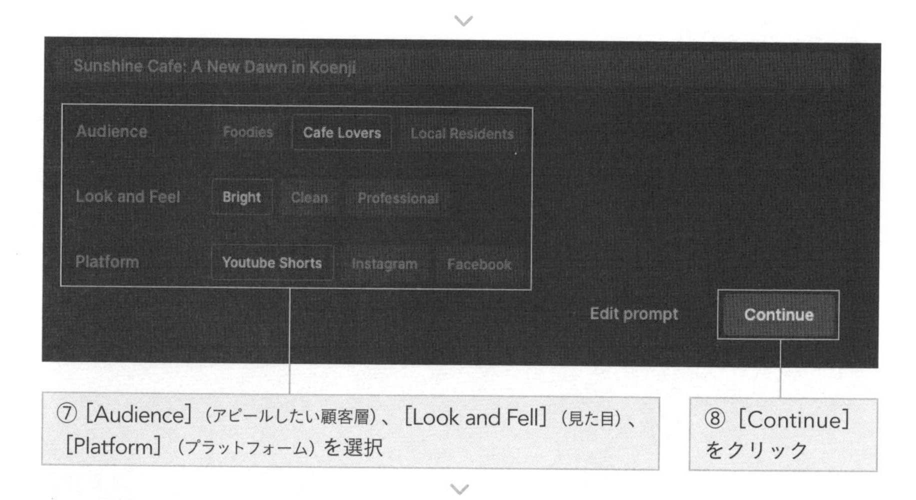

⑦［Audience］（アピールしたい顧客層）、［Look and Fell］（見た目）、［Platform］（プラットフォーム）を選択

⑧［Continue］をクリック

数分待つと、ストックフォトを利用したYouTubeショート動画が作成されました

［Edit］をクリックして、クリップの長さを変えられます

⑨完成なら［Export］をクリック

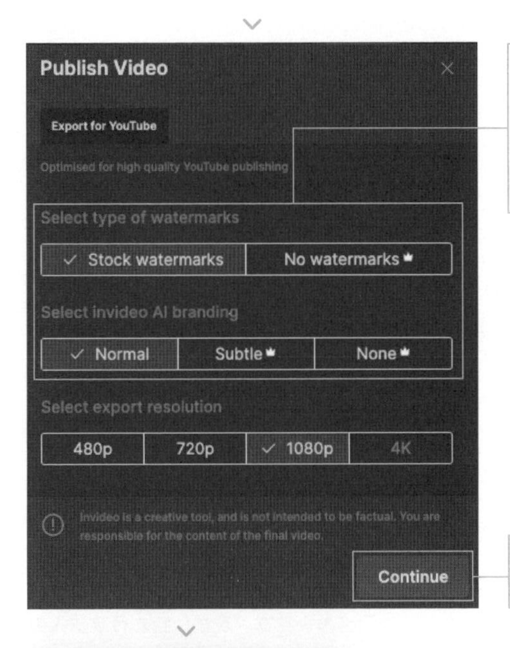

月額20米ドルからの有料版に契約すると、ウォーターマーク（透かし）を外すことができます。無料版は外せないので、[Stock watermarks]と[Normal]を選択しましょう

⑩[Continue]をクリックして動画ファイルをダウンロード

ダウンロードした動画をYouTubeにアップロードしたもの。英語とはいえ、ものの5分で動画を作成してアップロードできました

著者プロフィール

田口和裕（たぐち・かずひろ）

フリーライター。ウェブサイト制作会社から2003年に独立。雑誌、書籍、ウェブサイトなどを中心に、生成AI、ソーシャルメディア、クラウドサービスなどのコンシューマー向け記事や、企業向けエンタープライズ系記事など、IT全般を対象に幅広く執筆。著書は『できるポケット Facebookをスマートに使いこなす基本&活用ワザ150』（インプレス・共著）など多数。2017年タイのチェンマイに本格移住、近年は海外旅行に関する執筆も多い。

森嶋良子（もりしま・りょうこ）

ライター、エディター。編集プロダクション勤務の後独立、現在は独立行政法人の研究員も兼任。ITに軸足を置き、初心者向けガイドやインタビュー記事などを主に執筆。著書に『できるfit メルカリ&LINE&Instagram&Facebook&Twitter 基本+活用ワザ』（インプレス・共著）、『今すぐ使えるかんたん ぜったいデキます！ タブレット 超入門』（技術評論社）などがある。

いしたにまさき

Webサービス、ネットマーケティング、デジカメ、ガジェットなど、見たもの、体験したものの考古学的レビューブログ「みたいもん！」主宰。2002年メディア芸術祭・特別賞受賞。第5回Webクリエーション・アウォードWeb人ユニット賞受賞。共著書に『できるポケット+ Evernote 活用編』『できるポケット+ Evernote』『できる100ワザツイッター』（ともにインプレス）、『ツイッター 140文字が世界を変える』（マイコミ新書）、『クチコミの技術』（日経BP）などがある。

スタッフ

ブックデザイン	沢田幸平（happeace）
編集協力＆DTP	株式会社トップスタジオ
校正	株式会社トップスタジオ
デザイン制作室	今津幸弘
デスク	今村享嗣
編集長	柳沼俊宏

■商品に関する問い合わせ先

このたびは弊社商品をご購入いただきありがとうございます。本書の内容などに関するお問い合わせは、下記のURLまたは二次元バーコードにある問い合わせフォームからお送りください。

https://book.impress.co.jp/info/

上記フォームがご利用いただけない場合のメールでの問い合わせ先

info@impress.co.jp

※お問い合わせの際は、書名、ISBN、お名前、お電話番号、メールアドレス に加えて、「該当するページ」と「具体的なご質問内容」「お使いの動作環境」を必ずご明記ください。なお、本書の範囲を超えるご質問にはお答えできないのでご了承ください。

●電話やFAX でのご質問には対応しておりません。また、封書でのお問い合わせは回答までに日数をいただく場合があります。あらかじめご了承ください。

●インプレスブックスの本書情報ページ　https://book.impress.co.jp/books/1123101091 では、本書のサポート情報や正誤表・訂正情報などを提供しています。あわせてご確認ください。

●本書の奥付に記載されている初版発行日から3年が経過した場合、もしくは本書で紹介している製品やサービスについて提供会社によるサポートが終了した場合はご質問にお答えできない場合があります。

■落丁・乱丁本などの問い合わせ先

FAX　03-6837-5023

service@impress.co.jp

※古書店で購入された商品はお取り替えできません。

生成AI推し技大全
ChatGPT＋主要AI 活用アイデア100選

2024年2月21日　初版発行

2024年5月11日　第1版第2刷発行

著者　田口和裕、森嶋良子、いしたにまさき

発行人　高橋隆志

発行所　株式会社インプレス

〒101-0051 東京都千代田区神田神保町一丁目105番地

ホームページ https://book.impress.co.jp/

印刷所　株式会社暁印刷

ISBN 978-4-295-01861-2 C0004

Printed in Japan